Ella, maldita alma

Manuel Rivas

Ella, maldita alma

Traducción y notas de Dolores Vilavedra

ALFAGUARA

Título original: Ela, maldita alma
© 1999, Manuel Rivas
© De la traducción: Dolores Vilavedra
© De esta edición:
   1999, Grupo Santillana de Ediciones, S. A.
   Torrelaguna, 60. 28043 Madrid
   Teléfono 91 744 90 60
   Telefax 91 744 92 24
   www.alfaguara.com

• Aguilar, Altea, Taurus, Alfaguara S. A.
Beazley 3860. 1437 Buenos Aires
• Aguilar, Altea, Taurus, Alfaguara S. A. de C. V.
Avda. Universidad, 767, Col. del Valle,
México, D.F. C. P. 03100
• Distribuidora y Editora Aguilar, Altea,
Taurus, Alfaguara, S. A.
Calle 80 Nº 10-23
Santafé de Bogotá, Colombia

   ISBN: 84-204-4202-X
   Depósito legal: M. 8.176-2000
   Impreso en España - Printed in Spain

   Diseño:
   Proyecto de Enric Satué
© Cubierta:
   Fotografía de Cristina García Rodero

   PRIMERA EDICIÓN: OCTUBRE 1999
   SEGUNDA EDICIÓN: NOVIEMBRE 1999
   TERCERA EDICIÓN: DICIEMBRE 1999
   CUARTA EDICIÓN: MARZO 2000

Agradecimientos

En memoria de mi madre, Carmiña, a quien había prometido un libro sobre las formas y los lugares del alma. A mi padre, que se comió una barra de pan y escuchó un loro en La Guaira. A mi hermano Paco, por una deuda impagable. A mis tías Pepita y Paquita, siempre alegres mozas de Corpo Santo. A Miguel Munárriz y José Manuel Fajardo, que escribieron la primera frase de «Ella, maldita alma». Al amigo Alfonso Armada, que en su *Cuaderno de África* me inspiró el personaje de la fotógrafa Mireia. El relato «La novia de Liberto» está dedicado a Rafael Azcona, que canturreó *Les feuilles mortes*, a Xesús González Gómez, noray gallego en Barcelona, y al pintor Alfonso Sanjurjo. Un recuerdo también para el mago Antón y su muñeco Facundo. O'Mero se me apareció después de una inolvidable conversación con Jaime Medal, curandero en los caminos del mar.

Oh, where have you been, my blue eyed son?
*Oh, where have you been, my darling young one?**

BOB DYLAN

---

* ¿Dónde has estado, hijo de mis ojos? / ¿Dónde has estado, hijo mío?

La vieja reina alza el vuelo

Aquella primavera había llegado adelantada y espléndida.

A la hora del café, por la ventana que daba a la huerta, Chemín contempló la fiesta de pájaros en el viejo manzano en flor. Durante el hosco silencio del invierno sólo acudía allí el petirrojo, picoteando como un niño minero sus sienes plateadas por el musgo, brincando por las ramas desnudas con su saquito de aire alegre y colorado. A veces también acudía el mirlo. Posaba su melancolía crepuscular, devolviéndole de reojo su mirada al hombre, y después huía de repente, desplegando las alas en un pentagrama oscuro.

También en el comedor había fiesta. Todos los años en esta fecha, el tercer domingo de marzo, celebraban el día de san José en la casa paterna de los Chemín. De hecho, habían sido las canciones de hijos y nietos las que guiaron su vista hacia el viejo manzano, desde su puesto en la cabecera de la mesa.

La brisa de media tarde abanicaba perezosamente los brazos artrósicos del frutal, que sostenían en vals el inquieto galanteo de los pájaros. Pero en la punta de las ramas los penachos de flor blanca temblaban como organdí de novia. Allí rondaban las abejas.

Papá, te toca, dijo Pepe, el hijo mayor. Era un buen guitarrista. Cuando estaban de moda los Beatles, él había sido de los primeros en toda la comarca en dejarse el pelo largo, y usaba unos horribles pantalones color butano, muy ceñidos y de pata acampanada. Había dado mucho que hablar a la vecindad y le pusieron de apodo O'YeYé. A él le llegó algún chisme cuando estaba de emigrante en Suiza. Vi a tu Pepe en la feria de Baio, le había comentado uno de la zona de Tines, recién emigrado. Y añadió masticando la sorna: por detrás pensé que era Marujita Díaz. De noche, con la rabia, Chemín pensó escribir una carta ordenándole a su hijo que fuese al barbero. Rumiaba las frases para meterlo en cintura y recriminarle a la madre su tolerancia, pero le dejaban en la boca un sabor agrio, de achicoria. Imaginó a Pilar, su mujer, abriendo el sobre con sus dedos rosados, pues siempre los lavaba cuando la sorprendía el correo. Leyó con los ojos aguados de Pilar la carta reprobatoria que le rondaba por el magín y fue entonces cuando le pareció

una tontería, una bofetada borracha en plena
noche.

Venga, papá, canta *Meus amores.*
Sí, sí, que cante el abuelo.

Se preguntó si aquellas abejas que sor-
bían el nectar de las flores blancas del manzano eran de sus colmenas o si venían de la huerta de Gandón. Le gustaba el café caliente y muy
dulce, pero la taza se le había ido enfriando
entre las manos, distraído con la pantalla de la
ventana.

¡Meus amores! Aquella balada se la había
enseñado un compañero de barracón en Suiza.
No tenía mucha memoria para las canciones, pero aquélla le había quedado prendida
como una costura de la piel. Le salía de dentro
a modo de oración, como himno patriótico de
las vísceras, fecundado por la cena de patatas
renegridas del barracón de emigrantes. Todos
los años, desde que había regresado de Suiza
y celebraban juntos san José, él cantaba *Meus
amores.* Ya era un patriarca, el más viejo de
los Chemín. Aquella balada brotaba como un
manto de niebla que les unía a todos, también a los que se habían ido, en un más allá
intemporal.

Dous amores a vida gardarme fan:
a patria e o que adoro no meu fogar,
a familia e a terra onde nacín.
*Sen eses dous amores non sei vivir.**

Mediada la canción, notó el pecho sin aire como el fuelle hinchado de una gaita. No me encuentro muy bien, dijo por fin. Sabía que aquella reacción iba a ensombrecer la fiesta, como si alguien tirase del mantel y destrozase la vajilla de Sargadelos que Pilar guardaba como un ajuar.

Creo que me voy a echar un poco en la cama.

Era más de lo que podía decir. Tenía la boca seca y culpó de ello al café frío y amargo. Algo, una angustia forastera, le oprimía el pecho, clavándole las tenazas de las costillas en los pulmones. Pero, además, el enjambre de abejas le bullía en la cabeza con un zumbido hiriente, insufrible.

Pepe entendió. Su buen hijo, O'YeYé, con canas en la pelambrera rizada, rasgueó la guitarra y empezó a cantar una de las suyas, *Don't let me down!*, en un gracioso criollo de gallego e inglés, atrayendo la atención de los más

---

* Dos amores me sostienen la vida: / la patria y lo que adoro en mi hogar, / la familia y la tierra donde nací. / Sin estos dos amores no sé vivir.

jóvenes. Sólo Pilar le miró de frente, desde el quicio de la puerta, ella, la incansable vigía, con una bandeja de dulces en la mano.

Antes de bajar la persiana, en su dormitorio, volvió a mirar el manzano, aquel imán en flor. Luego reparó en la huerta vecina, la de Gandón. Como siempre, sólo era visible una parte mínima de aquel mundo secreto y eternamente sombrizo, oculto por un tupido seto de mirto y laurel. Solamente había un trecho en el que el muro vegetal descorría la cortina, y era en un lado en el que el saúco todavía invernaba escuálido, seguramente ensimismado en su médula blanca. Por aquellas rendijas Chemín podía entrever las corchas del colmenar abandonado.

Él y Gandón habían sido muy amigos en la infancia. Recordaba, por ejemplo, que juntos pescaban con caña los lagartos arnales que amenazaban las colmenas. Era un arte difícil. Había que cebar el anzuelo con saltamontes y estar muy escondidos. Él sostenía la caña y Gandón, del lado contrario, le hacía una señal cuando el lagarto iba a picar. Las abejas estaban preparadas para luchar contra un invasor, lo mataban y embalsamaban para que no se pudriese dentro de la colmena, pero aquel verano los lagartos parecían multiplicarse como un ejército glotón. Llegaron a atrapar dos docenas.

Les pasaron un alambre por los ojos y se los llevaron colgando con el orgullo de quien ostenta un precioso trofeo. La piel del arnal parece una tira arrancada del arco iris.

Las familias de Chemín y Gandón no se hablaban, pero a ellos, mientras fueron niños, era algo que no los implicaba. Sólo había una cierta cautela al entrar en la casa del otro. Una vez, cuando los adultos estaban de faena, había jugado con Gandón en aquella huerta umbría. En un rincón estaban, amontonadas, viejas corchas que habían servido de colmenas. Mi padre dice que no tenemos buena mano con las abejas, explicó Gandón. Se murieron todas de un mal de aire.

Un día él y Gandón dejaron de hablarse. Nadie se lo ordenó explícitamente, pero fue como si ambos escuchasen a un tiempo un mandato ineludible surgido de las vísceras más recónditas de sus respectivas casas. Fue tras la confirmación, cuando el auxiliar del obispo vino a la parroquia y les impuso una cruz de ceniza en la frente. Al regresar de la iglesia ya no se hablaron y por el camino fueron distanciándose a propósito.

Chemín, ahora tumbado en el lecho, se llevó la mano a la frente e hizo la señal de la cruz. La cruz no tenía nada que ver en el pleito entre los Chemín y los Gandón. Sólo era la

forma que tenía el recuerdo. El silencio entre
él y Gandón, la conciencia de implicarse en un
resentimiento heredado, cobró cuerpo cuando
el hombre empezó a apropiarse del niño. El día
de la confirmación les pusieron por vez primera pantalón largo. Y dejaron de hablarse justo
cuando les cambiaba la voz y de la garganta les
salían gallos que no dominaban. Poco después
notarían con cierta sorpresa que ya se les per-
mitían las blasfemias en público.

Aquellos dos niños que un día habían
sido amigos desaparecieron por el desagüe de la
memoria, que tanto sirve para recordar como
para olvidar. Para Chemín el viejo, tumbado en
el lecho, de aquel tiempo sólo quedaba, como
imagen congelada, el brillo húmedo del arco
iris en la piel de los arnales.

Había seguido viendo a Gandón, claro,
con mucha frecuencia. El hombre que le había
crecido dentro tenía una mirada que a él le parecía dura y sombría, como la huerta en la que
el otro se adentraba nada más traspasar la verja. Más tarde, Gandón empezó a trabajar de
peón en las obras de una lejana carretera. Sólo
lo veía los domingos, y le pareció un tipo extraño, un forastero al que nunca hubiese trata-
do. Cuando se cruzaban, se apartaban el uno
del otro como si también quisiesen evitar el
contacto entre sus sombras.

Recostado en el lecho, Chemín volvió a ver a los dos niños. Estaban a la puerta del cielo, ante san Pedro. Éste, como un meticuloso guardia de aduanas, les contaba los lagartos arnales uno por uno. Parecía que no le cuadraban los números. Finalmente, miró a los niños con altiva mirada de funcionario y les dijo:

—¡Son pocos lagartos! Bajad y traed más.

Y los niños echaron a andar cabizbajos por un sendero descendiente, tropezando con los zuecos en los guijarros, y con el peso abrasador de la losa solar en sus espaldas.

¿Vamos a pescar truchas a mano?, dijo el pequeño Chemín. A lo mejor, una trucha vale en el cielo lo que tres lagartos.

Pero el pequeño Gandón no le respondió. De repente, había crecido. Era un hombre rudo y silencioso, sumido en sí mismo. Sus brazos y su rostro tenían el barniz resinoso de la intemperie. Al llegar al crucero, escupió en el suelo y tomó el camino contrario sin despedirse.

Adiós, Gandón, dijo con pena Chemín.

Cuando emigró a Suiza, su primer empleo fue en la construcción de un túnel en el Ticino. Eran por lo menos trescientos obreros horadando el vientre de la montaña. Chemín tenía de jefe un capataz italiano muy llevadero. Cuando se acercaba un ingeniero, les gritaba con energía «¡Laborare, laborare!». Cuando marchaba, guiñaba un ojo y decía con una sonrisa pícara «¡Piano, piano!». Una mañana llegó un nuevo grupo de obreros y Chemín se dio cuenta, por la forma de hablar, que la mayoría eran gallegos. Entre ellos, como una feliz aparición, descubrió a Gandón. Fue hacia él y lo saludó con alegría. El vecino pareció dudar, pero luego torció la mirada como quien muestra desprecio a un delator y siguió los pasos de su grupo. Durante meses se cruzaban y se repelían instintivamente. Hasta que un día Chemín se dio cuenta de la ausencia de Gandón, como si dejase de sentir el olor otoñal de un borrajo. Hacía un frío de mucho bajo cero. En la boca del túnel, el lienzo de la nieve flameaba como un sudario. Preguntó por él y un conocido de Camariñas le informó de que lo habían bajado a un hospital. Que le habían reventado las muelas al beber el agua helada de un manantial. Bebe leche, Gandón. Pero no. Sólo bebía agua. Le tengo alergia a la leche, decía. Tampoco probaba el queso ni la mantequilla. Ésa era la base de la dieta en el comedor de la empresa. Pasaba hambre, dijo el de Camariñas. Cagaba blanco como las gaviotas. No creo que vuelva.

En la huerta de Chemín había también un nogal. Su padre le había contado que cada año crecía la altura de un hombre, pero que no daba fruto. Comenzó a dar nueces cuando él nació.

Un día supo, de forma indirecta, por una conversación de vecinos, que aquel nogal había sido la causa de la discordia entre los Chemín y los Gandón. En realidad, él mismo era parte fundamental de la historia.

El padre de Chemín se había casado de viejo con una muchacha muy hermosa. María da Gracia, su madre, era hija de soltera, había trabajado desde niña de criada, pero no por eso tenía pocos pretendientes. Ella misma era la mejor dote que un labrador podía desear. En la folía del maíz cantaba tangos y boleros y la gente arrancaba al compás las rugosas y ásperas hojas de las mazorcas como si fuesen pétalos del Corpus. Cuando el viejo Chemín y María da Gracia se casaron, los mozos más resentidos no dejaron de cantar coplas y agitar cencerros y latas toda la noche ante la casa.

Ya habían pasado tres años y María da Gracia no tenía descendencia. Eran un buen tema de comentario para los más chismosos, pero la pareja se mostraba siempre feliz como las tórtolas en primavera. Fue entonces cuando sucedió el caso del nogal. El árbol crecía con el ímpetu de un sauce en la ribera, pero sin dar un solo fruto. Alguien le dijo a Chemín que lo que tenía que hacer era varearlo. Azotar las ramas con una vara antes de que brotasen las hojas. Golpearlo sin romperlo. El árbol, por decirlo así, entendería el mensaje. Y eso fue lo que hizo aquel día de sol primerizo en el que todo parecía estar al acecho. Con la camisa blanca y el chaleco negro, a la vuelta de misa, sacudió el nogal. Notó las gotas de sudor en la frente y, por la huerta vecina, pasó a su altura el viejo Gandón. Y dijo en voz alta: Así tenías que hacer con tu mujer, Chemín, sacudirla bien sacudida. ¡A ver si da nueces! Gandón tenía cinco hijos.

El viejo Chemín no respondió. Apoyó la vara en el tronco del nogal, entró en casa y bebió un cazo de agua del cubo de roble herrado. Después le dijo a María da Gracia: No me preguntes por qué, no te lo puedo decir, pero por favor, nunca más les dirijas la palabra a los Gandón. María da Gracia entendió. El suyo era un hombre noble. Le atraía ese su señorío natural.

Un año después, nacía el pequeño Chemín. Todo esto refrescaba en su memoria cuando ocurrió lo del enjambre. Pero esta vez el recuerdo había retornado con un odio que él nunca había sentido. Era una hiedra que le ahogaba el pecho, que se ceñía a la nuez de su garganta y le transformaba el habla en un sonido ronco, en monosílabos duros que caían como pedradas en el estanque siempre tranquilo que rodeaba a Pilar. Ella notó enseguida aquel cambio de carácter pero lo atribuyó al tiempo, a aquella primavera enloquecida con noches de luna tan luminosas como un día amarillo, que hacían cantar a los gallos por la noche y traían exhaustos los cultivos con un insomnio febril.

Chemín no le había contado a nadie, ni a ella, lo que había sucedido con el enjambre.

El fin de semana anterior había notado mucha inquietud en una de las colmenas. Era un enjambre muy bueno. Daba una miel oscura, con sabor a romero, porque él era capaz de distinguir los matices misteriosos de la dulzura, las dosis de bosque y flor que había en una cucharadita. Las colmenas siempre habían sido una parte destacada de la hacienda familiar. Eran como una vacuna secreta a la que se le atribuía la longevidad del clan. Enterró a su padre a los noventa años, y no lo había matado la enfermedad sino la pena por la pérdida de María da Gracia. Si ella viviese, murmuraba, yo no moriría nunca. Pero a ella la había matado, un día de feria, aquel maldito coche conducido por un borracho.

Todo el domingo lo pasó al acecho porque el enjambre había empezado a barbear. Las abejas se arremolinaban en la piquera de la colmena. Debe de haber una nueva reina, pensó, y la vieja no tardará en marchar con todo su séquito de obreras.

Durante mucho tiempo, le había contado su padre, no se sabía cómo nacían las abejas. ¿Sabes por qué? Porque pensaban que la reina tenía que ser un rey. No les cabía otra cosa en la cabeza, ni siquiera a los más sabios. Escribían tonterías como que los enjambres nacían de los vientres de los bueyes muertos. Hasta que los sabios cayeron de la burra. Y hay otra cosa muy curiosa que debes conocer, dijo su padre bajando la voz en confidencia. La reina no nace reina. Las obreras eligen una larva y la alimentan con jalea real unos días más que al resto. En realidad, cualquiera de las abejas podría ser una reina. ¿Y a los zánganos? ¿Por qué matan a todos los zánganos?, preguntó el niño. Porque son unos vagos, como los chupatintas de la ciudad, dijo riendo el viejo Chemín.

El domingo casi no pudo dormir. En sus sueños, la bola del enjambre salía volando a media altura como un globo y él, como en una inquietante película cómica de Charlot, braceaba y braceaba intentando hacerse con él. Se levantó temprano con esa inquietud y después de mojarse la cara con agua fría se dirigió hacia la colmena. En efecto, las abejas apiñadas formaban una gran madeja a punto de desprenderse. Fue corriendo a coger un cesto y justo cuando lo tenía al alcance de la mano vio como el enjambre despegaba en un vuelo compacto y deshilachado a un tiempo. Fue a parar a la primera rama que encontró en su camino, la más baja del nogal. Chemín se acercó muy lentamente, pero su corazón latía como la muela de un molino. No era miedo. Él sabía que las abejas, cuando vuelan en enjambre, van cargadas con tanta miel que no pueden picar. Fue levantando el cesto y a medio camino pudo ver cómo la bola despegaba de la rama y retomaba el vuelo. Esos segundos que quedó pasmado, sin reaccionar, fueron definitivos. El enjambre salvó el seto y se fue a posar en uno de los árboles de la huerta sombría de los Gandón. Y entonces apareció él, como un cazador al acecho. El hombre silencioso se quitó el chaquetón de cuero de becerro, envolvió el enjambre como si atrapase un sueño alado en el aire y se fue hacia las viejas colmenas vacías.

Chemín dormía despierto. Desde la planta baja llegaba el sonido de las canciones. *Que o mar tamén ten mulleres, que o mar tamén ten amores, está casado coa area, dálle bicos cantos quere.*[*] Este mediodía había ido andando al

---

[*] Que el mar también tiene mujeres, que el mar también tiene amores, está casado con la arena, le da cuantos besos quiere.

pueblo. Quería espantar aquel pensamiento que le perforaba la cabeza con un zumbido terco e hiriente. Siempre había sido un hombre sensato. Razonó por el camino. Gandón había actuado de acuerdo con una ley no escrita. Podría haber sido cualquier otro. Un enjambre que abandona la colmena pertenece a quien lo atrapa. No era un robo. Pero el zumbido insistía e insistía, traspasándole la cabeza de sien a sien. No podía evitar considerarlo un acto de hostilidad. Un desafío de guerra. ¿Qué sabía Gandón de abejas? Su familia no había sido capaz de mantener aquellas colmenas. La peste, el mal de aire, qué demonios, lo tenían ellos dentro del alma. Al pensar en la miel del enjambre cautivo, Chemín notó en los labios un sabor hasta entonces desconocido. Una miel amarga.

Iba a la búsqueda de viejos amigos con los que charlar y distraer el zumbido que le atormentaba. Pero al llegar a la taberna Lausanne buscó una mesa en el rincón y apartó la mirada del bullicio. Con cartas invisibles jugaba un solitario sobre el mármol de la mesa. ¿Qué habría pasado en aquel instante por la cabeza de la vieja reina? ¿Por qué el enjambre abandonó la rama del nogal, aquel nogal que se había plagado de nueces cuando él nació? Un minuto antes todo tenía sentido. Miró el reloj. Se había hecho tarde. Ya estarían llegando los invitados. Si pudiese, se perdería en el monte hasta la noche. Pensaba en su propia fiesta como en la de un extraño. Al levantarse, se dio cuenta de que había bebido más de la cuenta. El zumbido chispeó como una lámpara floja. Se le había extendido por todo el cuerpo a la manera de un dolor antiguo. Cuando se acercó a la barra para pagar, el tabernero, emigrante también en su época, le dijo que no debía nada. Lo tuyo está Okey, Chemín. Entonces ¿invita la casa? Gandón. Lo tuyo lo ha pagado Gandón. Le advertí que eran cuatro vasos. Pero él respondió que daba igual, que cobrase todo. Que un día era un día.

En vez de ir por la carretera, Chemín se echó a andar por un atajo que llevaba a la aldea atravesando el bosque y los prados. La frescura de la arboleda le alivió el zumbido, pero después, en los herbales, un sol impropio de aquel tiempo, navajero, le removió como tizón el enjambre. Hizo visera con la mano y miró hacia la aldea. Esa distancia entre aldea y pueblo había ido cambiando a lo largo de su vida. De pequeño le parecía un atlas. Después se fue acortando hasta convertirse en un tiro de piedra. Ahora volvía a las dimensiones de su infancia, pero de otra forma, como si los guijarros fuesen pedazos de hueso.

En medio del camino, más tirado que recostado, un bulto jadeante, se encontró a Gandón. Se cruzaron las miradas. La del hombre acostado, con la cabeza apoyada en el ribazo, era una mirada de angustia, con el blanco de los ojos enrojecido y lloroso. Tenía una mano en el pecho, a la altura del corazón, y se frotaba como un alfarero la masa de arcilla.

Es el vino, murmuró Gandón, le echan mucha química.

El gesto de su cara era una mezcla de ironía y dolor.

Sin decir palabra, Chemín le ayudó a levantarse, pero cuando el otro intentó sacudirse el polvo de la chaqueta, volvió a derrumbarse. Chemín lo agarró con un gran esfuerzo por la cintura, pasó el brazo de Gandón por encima de su hombro y echaron a andar casi a rastras. Pegados uno al otro, sudorosos, parecían respirar por el mismo fuelle con un silbido quejoso.

Cuando llegaron a la verja de la huerta de Gandón, éste hizo gesto de valerse por sí mismo. Permanecieron allí apoyados, cogiendo aire. Por fin, en silencio, Chemín siguió su camino.

Tienes que enseñarme a criar las abejas, murmuró Gandón.

Chemín no dijo nada.

Cuando llegó a casa, sus nietos corrieron a darle un beso y él les puso la mejilla con una mansedumbre inexpresiva, con la mirada en otra parte. Buscó su silla en la cabecera de la mesa y se dejó caer en silencio.

Ahora, en cama, en una vigilia de brumas, trata de reconducir el sueño.

Los dos niños bajan del cielo por un sendero, haciendo chocar los zuecos en los guijarros a propósito. Vamos a hacer una cosa, dice de repente el pequeño Chemín. Te doy mis lagartos, y así tú puedes entrar en el cielo. ¿Y tú?, pregunta el pequeño Gandón. Yo voy a pescar truchas a mano. Cuando tenga una, se la iré a llevar al santo de la puerta. Pero ahora ve tú delante.

¿Y tu amigo? ¿Por qué no ha vuelto tu amigo?, preguntó el santo Pedro tras recontar los arnales.

Dijo que prefería ir a pescar truchas, explicó con inocencia el pequeño Gandón.

Así que ha ido a pescar truchas, ¿eh?, dijo enigmático el aduanero.

En cama, Chemín escuchó por fin la campana. Muy despacio, con el acento de un cantor ciego, la campana de la parroquia decía *Gan dón, Gan dón.*

Su hijo, su querido *Yeyé,* abrió la puerta de la habitación y le dijo en la penumbra: ¿Sabes, papá? Dicen que Gandón ha muerto.

Él abrió mucho los ojos para abrazar a su hijo con la mirada. Escuchaba su voz cada vez más lejos, por más que él se le acercaba y lo llamaba a gritos.

¡Papá! ¡Papá! ¿Qué tienes, papá? ¡Por Dios, papá!

Volaba, volaba envuelto en el terciopelo del enjambre. ¿Por qué dejaban la colmena? ¿Por qué las abejas no se quedaban en la rama del nogal? Quiso preguntar algo más, pero la vieja reina estaba sorda.

La novia de Liberto

Mi amigo Eloy tenía un muñeco de ventrílocuo al que llamaban Liberto.

Vestía, el muñeco, un pantalón de peto de color azul, de tela de mahón, y una camisa de franela a cuadros rojos y blancos. Liberto vivía en una maleta. Allí pasó muchísimos años sin ver la luz, como un topo en el desván, después de que hubiese desaparecido su verdadero dueño, un tío abuelo de Eloy, conocido por Rubí, que tenía ese don de hablar con la barriga y sin mover los labios.

Lo que sabemos de Rubí, por lo poco que nos contaron, es que era un zapatero habilidoso y un solterón muy juerguista en su tiempo libre. Recorrió todas las tabernas de la comarca con su compañero Liberto, que él mismo había construido, y pagaba aguardiente para dos, aunque se la bebiese él toda. Rubí tenía un hablar tranquilo y socarrón pero, en la voz de Liberto, era todo chispa y no se mordía la lengua. El final de la historia de Rubí es que había tenido que huir durante la guerra, lo que hizo por la frontera de Portugal, y que lo habían dado por muerto pues no se volvió a tener noticia de él.

Liberto retornó al mundo gracias a nosotros.

Mis padres iban siempre de vacaciones a Gardarás, donde habían nacido. Vivíamos en casa de Aurora, mi tía, que había heredado la casa de los abuelos. Excuso decir que Aurora tenía buen corazón, pero un genio endemoniado. Era soltera, pero nada juerguista. Al contrario. Nos recibía con los brazos abiertos y bandejas rebosantes de comida, pero los niños eran para ella como esa especie de duendes que por la noche mean en el cazo de la leche. Desde pequeño, durante esas vacaciones, mi hogar natural era la casa de Eloy. Allí los niños eran bienvenidos e incluso celebrados por sus travesuras.

Un día, rebuscando con Eloy en el desván, abrimos la maleta en la que vivía Liberto. Nos miró de frente con sus ojos de esmalte azul, y Eloy cerró la maleta, en un reflejo de espanto.

Era el atardecer de un domingo y los mayores estaban en la cocina viendo un programa que se llamaba *Reina por un día*. En casa de Eloy había televisión porque la había traído su padre de Alemania, donde trabajó de ebanista en una fábrica de muebles.

Se reunían muchos vecinos como si fuese un cine.

En el programa *Reina por un día* aparecía siempre una mujer que lloraba mucho con la emoción. Se notaba que las mujeres que miraban la televisión también estaban a punto de llorar.

Mamá, dijo Eloy tirándole de la manga, ahí arriba hay un hombrecito.

Sí, hijo, sí, dijo su madre. Y siguió viendo como si nada *Reina por un día*.

Nosotros también miramos. A la mujer de la televisión le hacían regalos, uno por cada hijo. Y decían que había tenido dieciséis. Así que no me extrañaba que llorase de emoción, con aquellos dieciséis paquetes con lacito delante de sus ojos.

Pasaron los minutos, y Eloy y yo perdimos el interés, así que volvimos al desván. Nos aproximamos a la maleta con mucha cautela, como si fuese una ratonera. Después, puestos de acuerdo por instinto, comenzamos a golpearla con puñetazos y patadas. Fui yo quien se atrevió a pegar la oreja al forro.

¿Oyes algo?, preguntó Eloy.

Un lamento. Parece que se queja, inventé yo.

Haciéndome el valiente, como si fuese uno de los del barrio de Katanga, que reventaban todas las verbenas de Coruña, abrí la maleta. Sus ojos de esmalte azul se clavaron en mí como dos faros en noche cerrada.

Fue entonces cuando noté aquel runrún en el estómago. Me estaba naciendo viento. Y ese viento crecía sin yo quererlo, como el fuelle de una gaita, y luego hablaba por mí.

¡Manda carajo!, dijo el muñeco. ¡Vale más tarde que nunca!

Años después, en un libro, descubrí el caso de Tom, un irlandés americano que comió un plato de lentejas tan calientes que le quemó el esófago, y de la investigación que de su caso hizo el profesor Stewart Wolf, de Oklahoma. Recuerdo el lugar porque siempre me ha gustado decir ¡Oklahoma! A Tom habían tenido que hacerle un agujero en el estómago para introducirle la comida. Pues bien, por ese agujero el doctor Wolf pudo comprobar, en un estudio que duró años, la relación entre el estómago y las emociones. En sentido literal, el alma habita el estómago y no el corazón. Debe ser por la amplitud, y porque el alma es muy glotona.

Aquel día, en el desván, Eloy y yo nos miramos con más sorpresa que miedo. El muñeco me parecía ahora un bicho maravilloso llegado de un lejano planeta. Un extraño valor, quizá el haber pensado en la banda de los de Katanga, me llevó a cogerlo en brazos. Pesaba como una osamenta de enano. Sin mediar ninguna intención, miré para Eloy y escuché de nuevo aquella voz de viejo cascarrabias que me salía de dentro.

¡Hola, Jorobadito!

A Eloy se le abrieron los ojos como si escuchase la burla de un diablo. Así era el apodo por el que era conocida su familia en privado, aunque se evitase usarlo en público. Los Jorobados. Era una cosa que venía de lejos. Ahora, nadie de la familia tenía joroba. El último jorobadito había sido precisamente Rubí. La gente le pasaba la mano por la espalda porque daba buena suerte, y se cuenta que entonces el muñeco Liberto decía cabreado: ¿Por qué no os la metéis en el culo?

Cuando bajamos con el muñeco, los mayores estaban todos atentos a la pantalla con un brillo de lágrima retenida en los ojos. Era la escena final de *Reina por un día.* En principio, no le prestaron atención al bulto que traíamos. Una vez más, se me llenó el fuelle del alma y exploté sin querer.

¡Pobre reina la reina por un día!, exclamó el muñeco.

Recuerdo muy bien aquella mirada colectiva. Yo había hecho frente a esa amenaza, pero de manera individual, encarnada, por ejemplo, en la mirada fulminante de la tía Aurora, tras pisar su alfombra turquesa con barro en los zapatos.

¡Qué simpático!, decía. Y sus ojos me atravesaban como alfileres.

Pero ahora eran un par de docenas de ojos enojados los que me tenían por objetivo. Mucho más tarde, por aquello de decir lo que no debía en campo equivocado, llegaría a definir aquella sensación. Era el Efecto Guadaña.

¡Tranquilidad, tranquilidad!, dijo entonces el muñeco para disculpar la interrupción.

¡Ay, por los clavos de Cristo! ¡El Liberto!

Fue la abuela de Eloy, con su mirada miope, la primera de todo el corro que reconoció el muñeco. La televisión quedó como un chisporroteo de fondo. Liberto era ahora el celebrado centro de la reunión, iba de brazo en brazo e incluso le dieron a probar el anís, pero no volvió a hablar en aquel atardecer que se hizo noche y luego sueño.

Regresamos cada año de vacaciones. De vez en cuando, Eloy y yo subíamos al desván para abrir la maleta y charlar un poco con Liberto. Le contábamos a nuestra manera las novedades de Gardarás y las revelaciones de la vida. Y muchas veces él decía desde mi barriga: ¡Manda carajo!

El año pasado fue la última vez que estuve con Eloy. Y con Liberto. Este año no volveré. Creo que no volveré jamás.

Eloy está acabando Derecho y yo Filología. Los dos estudiamos en Santiago, pero casi no nos vemos. Tenemos vidas muy distintas. Él va mucho por el Ensanche, por las copas de la parte nueva. Y yo... Bien, yo ando por otra parte. No hay más que explicar.

El caso es que el año pasado fui a casa de Eloy la primera noche de nuestro veraneo. Era noche de parranda, la noche de san Juan. En Gardarás se conserva la costumbre de las hogueras y las sardinas asadas acompañadas con pan de maíz. Allí estuvimos, con los vecinos. Las chicas habían crecido, como nuestra edad, y los viejos nos hacían bromas.

¡A ver si vais a casaros en Gardarás!

Muy entrada la noche, a la hora del café con aguardiente, cuando sólo quedaban alrededor del fuego los más viejos, Eloy, con los ojos algo enrojecidos, se acercó en confidencia y me dijo: ¿Por qué no vamos a buscar novia al Saltón?

Ése era un chiste que se hacía en Gardarás. El Saltón era la parte de la montaña con casales todavía medio aislados. Para los de Gardarás, era el mundo de lo remoto. Cuando alguien decía una blasfemia demasiado fuerte o hacía una cosa con torpeza, se le decía: ¡Ni que fueses del Saltón!

Pero Eloy me guiñó el ojo como si hablase en serio, con esa voz que tienen los juerguistas de la estirpe de los Jorobados.

¡Venga, hombre, vamos de mozas al Saltón!

Estaba medio borracho. Y yo también.

Yo ni sabía lo que era ir de mozas al Saltón. Iría tras ellas a cualquier parte.

Y entonces me acordé de Liberto.

Voy, dije, pero si nos llevamos a Liberto.

Eloy tardó un poco en entender. Contempló las brasas como si leyese una historia antigua y luego rompió a reír.

¡Liberto! ¡Pues claro que nos llevamos a Liberto!

Fuimos por carretera en el coche de Eloy y luego lo dejamos al abrigo de un seto de laureles.

Ahora es mejor ir a pie, dijo Eloy, siguiendo la ruta de las hogueras.

Y era cierto que desde allí se veían tres o cuatro fuegos como grandes luciérnagas centelleando en las faldas de la noche. Yo llevaba la maleta con Liberto.

En el primer lugar al que llegamos nos recibió un perro que ladraba sin mucha convicción. La noche de san Juan los perros ladran poco porque suele haber restos que roer alrededor de las fogatas. Junto al fuego, como guardianes de la noche, había solamente dos viejos que nos invitaron a licor café. Después de unos tragos y de saber que éramos de Gardarás, de tal y tal familia, nos preguntaron con sorna: Y entonces, ¿qué os trae por aquí?

¡Buscamos mozas!, dijo Eloy con la alegre resolución de un borracho.

¿Mozas, eh? ¡Pues mozas, buenas mozas las hay más arriba!, dijo el más socarrón, señalando lo alto.

Como navegantes atraídos por un faro, nos dirigimos hacia la siguiente fogata. Eloy propuso un atajo y nos metimos por un sendero. Enseguida nos dimos cuenta de que era un camino en desuso, invadido por las zarzas. Yo me abría camino con la maleta de Liberto, azotando aquella selva espinosa. Las circunstancias nos habían ido despejando y tuve la impresión de que la luna se reía de nosotros.

¿No sería mejor volver?, le dije a Eloy.

Ahora ya estamos llegando, dijo él sin aliento y con mucho amor propio.

No había nadie alrededor de la hoguera. Ni un perro.

Íbamos a dar la vuelta y bajar hacia Gardarás cuando se encendió una luz y asomó por el quicio de la puerta un viejo con una linterna y un bastón.

¿Buscan a alguien?

¡Buscamos mozas, patrón!, gritó Eloy con descaro.

¡Pues aquí hay mozas!, dijo el viejo muy serio.

Había un aroma a fuego cansado que la brisa esparcía como polvo de luna. Yo me había quedado clavado en el suelo con la maleta, a la manera de un viajero que desciende en una estación sin nombre.

Eloy me empujó: ¡Avante, Don Juan!

Era una casa de labranza, construida en piedra, madera y pizarra, excepto el ladrillo a la vista que tapiaba los antiguos comederos que daban al establo de las vacas. Nada más entrar, te subía a la cabeza un aroma a verdura lavada, a leche recién ordeñada y a estiércol no lejano. Había una luz de película íntima, velada por el humo del lar, que respiraba en el rincón del fondo como un animal de cuento. Sentada en el banco de la chimenea había una vieja vestida de luto que cosía con la cabeza inclinada. Parecía que hacía una costura con el hilo de sus pestañas. Me fijé mucho en ella porque el patriarca de la casa nos guió hacia allí, junto al fuego.

El viejo dio unas palmas y gritó: ¡Niñas, bajad que hay visita!

En verdad, la muchacha que bajó tenía un rostro de niña, de manzana colorada. Su cuerpo, no obstante, era ya el de una mujer hecha, de pecho generoso y con los brazos desnudos y robustos. Pensé que sería capaz de besar con dulzura en la cama y después ir a segar en un santiamén la dura maleza de un monte. Nos sonrió con timidez y se sentó en el vano del lar, sobre la piedra, muy cerca de Eloy.

Se llama Lidia, dijo el viejo, acomodado en la mesa. Ahora llevaba gafas y se disponía a leer *El Progreso*. No sé por qué, pero en aquel momento sentí envidia de él. Debe de ser que también me gusta leer por la noche, cuando los demás charlan y tienen que hacer una red con palabras.

Pues sí, me llamo Lidia, dijo Lidia con una sonrisa de verbena.

¡María, baja, mujer, baja!, volvió a gritar el viejo sin apartar la mirada del periódico. Y luego murmuró: Baja, que no te van a comer.

Sin disimulo, Eloy y yo nos pusimos al acecho como cazadores de perdiz. Y a mí me dio un brinco de horror el corazón. Alguien bajaba, finalmente, por la escalera, y era el perfil de una sombra enlutada, la cabeza cubierta también por un paño negro. Por la forma de descender los peldaños, engurruñada, a punto de caer, parecía una gemela de la vieja chocha que cosía.

Es María, dijo la niña mujer con ojos de un brillo triste.

Eloy carraspeaba, como quien espanta la borrachera. También él tenía la noche atravesada en la garganta.

Viendo la fiesta estropeada, me acordé de Liberto. Abrí la maleta y lo cogí en brazos. Lidia soltó una risita nerviosa y Eloy miró para mí con una melancolía somnolienta y tristona. Noté en las entrañas el fuelle del aire y mi mano activó el alma de madera de Liberto.

Esperta e aviva corazón
*que tes diante as flores de Saltón!**

Por vez primera desde nuestra llegada, la vieja que cosía apartó la vista del paño y observó con curiosidad al muñeco.

Cosa, señora, cosa, dijo Liberto señalando de soslayo al viejo, concentrado nuevamente en la lectura. ¡Cósale el rabo al lagarto!

Ayudado por el humor de Liberto, vencí mi repulsión y busqué el rostro de la recién llegada. Sentí ahora que yo era el muñeco articulado al que alguien hacía temblar los labios.

---

* Despierta y aviva, corazón / que tienes ante ti las flores de Saltón.

Por la pañoleta asomaban unos rizos castaños y sus ojos eran dos gemas verdes que destellaban en la penumbra. Se podría decir que no tenía edad y que era hermosa porque sí.

También el rostro de Eloy reflejaba el asombro de aquella extraña aparición. Aceptamos reanimados el café que nos ofreció la niña Lidia, a quien el calor del fuego había hecho madurar. Después, como si respondiese a una elección natural, Eloy y Lidia se enzarzaron a hablar y yo me quedé frente a frente con María. Hechizado. Le dije cuatro tonterías. Que era de Gardarás, pero que me había criado en la ciudad y que estudiaba Filología.

¿Por qué estudias eso?

Porque me gusta la historia de las palabras, dije algo avergonzado.

¡Las palabras!, exclamó ella. Y luego murmuró: *Les feuilles mortes*.

Yo sabía lo que ella había dicho, lo entendía, pero no podía entender que ella lo dijese.

¡Eso es francés!, comenté con asombro.

Sí, dijo ella con una sonrisa triste, eso es francés. Por un instante, guardó silencio, como ausente. Y más tarde añadió: Yo estuve mucho tiempo en París, ¿sabes?

¿De emigrante?, pregunté aturdido.

Claro. ¿De qué iba a ser? Limpiadora. Fregona. ¿Fumas?

Eloy sí que fumaba. Le pedí un pitillo con urgencia. María lo cogió con los labios y lo encendió con un tizón del fuego. Exhaló una nube de humo y después tosió. Muy fuerte, como si le estallase el pecho.

¡No fumes, María!, gritó como una orden el viejo desde la mesa. ¡Sabes que no puedes fumar!

Ella tenía ahora los ojos enrojecidos y hermosos como dos llamaradas verdecidas. Pero la piel de su rostro era pálida porcelana con pecas de color café.

Así que estudias Filología, dijo ella con una voz que parecía doblarse en su propio eco.

Sí, Románicas.

Románicas, claro. Debe de ser interesante.

Y luego, ajena a mí, ajena a todo, hipnotizada por las llamas, María cantaba en voz baja:

En ce temps-là la vie était plus belle
Et le soleil plus brûlant qu'aujourd'hui.
*Les feuilles mortes se ramassent à la pelle...**

Y entonces se cubrió la cara con las manos y empezó a llorar, tan a chorro que las lágrimas se le escurrían entre los dedos. De repente, dejó de sollozar, descubrió su rostro, una naturaleza radiante, mojada por la lluvia, y muy despacio me acarició las mejillas con dedos temblorosos.

Mon amour, mon amour!
As follas secas caen ó chan.[*]

Se hizo un silencio dolorido. Eloy, que jugueteando había avanzado por las rodillas de Lidia, me miró inquieto, como quien pide una explicación.

Sólo Liberto, dentro de mí, fue capaz de decir algo. Una vieja copla:

Eu non sei o que me deches
Que non te podo olvidar
De día no pensamento
e de noite no soñar.[**]

¡Ya está bien, María!, gritó el viejo. Y después, con un tono más suave: Deja de llorar, mujer. Mejor vete a dormir.

Pobrecita, dijo Lidia, se había levantado y la tenía abrazada por detrás, por los hom-

---

[*] «Las hojas secas caen al suelo», verso de una canción popular muy conocida en Galicia y Portugal, similar en el sentido a los versos de Jacques Prévert.

[**] No sé lo que me has dado / que no te puedo olvidar / de día en mi pensamiento / de noche en mi soñar.

bros, con la cabeza de María apoyada en su vientre. Ha vuelto enferma. ¡Sabe Dios cuántas habrá pasado, tan bonita! Se le metieron los nervios en la cabeza.

El muñeco miró a María con sus ojos de esmalte azul y el fuelle de su alma pronunció una despedida.

Merci dame, la plus belle.

Y yo, llevado por una desazón mecánica, metí a Liberto en la maleta. Antes de que la hubiese cerrado, la vieja lo miró con lástima y dijo haciendo la señal de la cruz: ¡Vaya hombrecito! Así y todo, tenemos que dar gracias a Dios por ser como somos.

No. Este año no volveré a Gardarás. No sería capaz de mirar hacia las laderas de oscuros óleos verdes del montañoso país de Saltón. De día en el pensamiento, y de noche en el soñar.

Ella, maldita alma

Aquel viaje sólo empezó a tener sentido ante la visión de las piedras que se amontonaban tras la catedral.

Era la hora en que la heroica ciudad dormía la siesta. En la celosía del cielo, emplomada de otoño, lanceaba el sol, sin herir, con melancolía, como un haz perezoso de picas. Esos rayos cenitales radiografiaban el aire.

Viendo las partículas en suspensión, ajenas a toda gravedad, Fermín recordó, o la ironía recordó por él, lo que Demócrito decía del alma. Y lo que Demócrito decía era que el alma es un cierto tipo de elemento caliente, de forma esférica, comparable a una de esas motas de polvo que se dejan ver gracias a la luz de las rendijas.

He aquí incontables almas bostezando en el aire, sonrió Fermín. Pero se le torció la sonrisa, en esa distancia corta que lleva a la mueca, cuando se imaginó a sí mismo como una mota de polvo esférica y caliente, sólo visible gracias a un fugaz venablo de luz.

Ese dardo tenía nombre y se llamaba Ana.

Durante años habían sido felices juntos. De una manera, digamos, fraternalmente feliz. Como sacerdote, Fermín animaba una de esas comunidades de base que buscan los orígenes, la hermandad del cristianismo de las catacumbas, la Iglesia de los fundadores, amparada solamente por la loriga, tan frágil como invencible, de la fe y la palabra de Dios. Aquella rama dorada que sería usurpada por el poder de la espada y el dinero. «Si no puedes con ellos, únete a ellos.» Pues no otra cosa ha hecho el poder con la primitiva Iglesia hasta corrromperla y convertirla en palio de ricos y dictadores, como con vehemencia exponía Fermín en aquellas informales homilías de unas misas que la comunidad de base denominaba «asambleas del pueblo de Dios».

Y desde entonces, concluía Fermín ante los hermanos, la Iglesia oficial está al servicio del Imperio. Si Cristo, el carpintero hijo de Dios, volviese hoy al mundo, con sus discípulos incultos y de clase obrera, con sus amistades peligrosas de putas, leprosos y vagabundos, no lo dudéis, la Iglesia oficial lo condenaría. Se callaría como una gran zorra ante su crucifixión. Y todos asentían, porque lo que proclamaba Fermín era de sentido común y hasta un obispo, en confianza y con franqueza, suscribiría estas palabras, pues a la Iglesia le había sucedido lo que al oro de ley cuando se funde con el falso, que todo se convierte en impuro.

Pero ellos, la comunidad, creían de verdad. Eran la rama dorada. Y entre ellos, Ana y él, los más ardientes, los más activos en la fe renovada.

Entre las incontables motas de polvo suspendidas en el aire, intenta distinguir dos que se hagan notar, que se singularicen. Ve ahora a Ana que se levanta. Lleva un traje de chaqueta rojo, con una blusa blanca orlada de encaje, un bordado hilado en la piel, como virguería de santero sobre torso hermosamente tallado. En el tic del labio inferior, como una delación corporal, le tiemblan las antaño enigmáticas metáforas del *Cantar de los Cantares*. Cual cinta carmesí es tu boca. Medias granadas tus mejillas. Atalaya davídica es tu cuello, bien dotada de almenas. Va Ana decidida, casi enérgica, hacia el atril y procede a la lectura del Evangelio según Mateo.

Subió Dios a la barca, y le siguieron sus discípulos. De repente, se levantó tan gran temporal que las olas cubrían la barca; pero él dormía. Los discípulos fueron a despertarlo, exclamando:

—¡Señor, sálvanos que perecemos!

Él les dijo:

—¿Por qué os acobardáis, hombres de poca fe?

Y poniéndose en pie increpó a los vientos y al mar, y sobrevino una gran calma. Los hombres, asombrados, decían:

—¿Quién será este, al que incluso los vientos y el mar obedecen?

No abandonar la barca, a pesar del temporal. Ésa era la conclusión a la que finalmente llegaban cuando en aquellas misas en forma de asambleas discutían la conveniencia de abandonar o no la Iglesia oficial, empezar de nuevo, de la misma manera que él, Fermín, había sustituido con alivio la sotana por los pantalones vaqueros. Sólo en circunstancias especiales, como la visita a un moribundo, y por no causarles turbación a los feligreses más conservadores que no pertenecían a la comunidad de base, vestía *clergyman*, con aquel cuello rígido que le oprimía como argolla la nuez de la garganta.

Como ahora, en Vetusta.

Había ido allí para visitar a un moribundo. A su tío Jaime, aquejado de un cáncer.

De joven iba a cazar con él. Recordaba aquellas jornadas como un suplicio. Toda caza requiere un silencio, decía el tío Jaime, pero la de las volátiles exige un silencio absoluto. Total. Y lo decía clavándote el carámbano de su mirada. Fermín nunca disparó. Se dejaba ir por las charcas y marismas como un leño muerto. Temía que si lo hacía y erraba el disparo, su propio tío le reventaría la cabeza de un tiro con la misma frialdad que a un pato salvaje.

¿Por qué le acompañaba, si nadie quería hacerlo?

El tío Jaime representaba todo lo que él odiaba. Representaba la impiedad. También se la había encontrado en el Seminario, pero de otra forma, disfrazada, cínica, resabiada. La primera lección, la lección inolvidable, fue cuando ocupó su habitación de interno y colocó en la estantería, demorándose, su más preciado tesoro. Los libros de Guillermo Brown y aquellos escritos por Emilio Salgari, Julio Verne, Mark Twain y Stevenson. Cuando acudió el padre Escolano, el que sería su tutor, empezó a blasfemar como sólo un cura lleno de furor puede hacerlo. Nunca más supo de sus libros de aventuras. Quizá la razón que lo empujaba a acompañar a Jaime, el alférez cazador, tenía algo que ver con aquel episodio del Seminario. Mejor estar cerca de la brutalidad sin matices, aniquilar de una vez la nostalgia de la aventura.

Al borde de la muerte, su tío lo hizo llamar. Hacía mucho tiempo que no se hablaban. Para el ex alférez y notario franquista, Fermín

era algo peor que un cura rojo. ¡Es que es bobo!, exclamaba, ¿no veis que es bobo? No conozco a nadie que sea inteligente y bueno al
mismo tiempo. Y aún añadía, entre dientes:
Soporto a los que fingen creer en algo, pero no
a los que creen de verdad. Lo que resultaba
coherente con la idea que Fermín tenía de su
tío y que se lo hizo aborrecible con el tiempo,
cuando tuvo la valentía de decirle: Tu alma es
el punto de mira de un fusil.

Es cierto, le dijo ahora su tío con voz
ahogada por la enfermedad, es cierto aquello
que me echaste en cara. Sus ojos de hielo tenían un insólito brillo de paz.

Siempre he sido un cabrón, dijo el tío
Jaime, pero quiero contarte algo.

¿Es una confesión?, preguntó el sobrino
en tono profesional.

¡No me jodas!, exclamó el tío Jaime
volviendo al estilo que le era habitual. ¡No me
seas cura! Escucha, lo que tienes que hacer es
escuchar. Tú sabes escuchar. Yo hice algo bueno, ¿sabes? Maté a cinco tipos.

Fermín lo miró con horror. No pensaba en las cinco muertes. Su tío era capaz de
eso y de mucho más. Pensaba en la locura
de confesarlo ahora. En la estupidez de inte-
rrumpir con ese arranque el curso natural de
la muerte.

Tuvo el valor de decir: ¡Me importa un carajo lo que hayas hecho!

¡Escucha, Fermín, no seas tonto!, balbució el tío Jaime. Siempre has sido un poco tonto. Por eso te lo cuento, porque eres tonto y bueno. Escucha. Fue durante la guerra. Para mí, la guerra era la guerra. Procuraba apuntar bien, no lo dudes. No sé a cuántos maté del otro bando. Muchos, probablemente, dijo como abriendo un paréntesis de cazador bravucón. Pero lo que sí sé es a cuántos maté de mi bando. Cinco, exactamente. Los cinco que se ofrecían siempre voluntarios para fusilar a los prisioneros. Esperaba a que les tocase el turno de guardia y así, en plena noche, me los cepillé. Me los cargué uno a uno. A los cinco. Ni Dios podría saber que quien los mandaba al infierno era uno de sus oficiales.

Fermín miraba de frente el vaso de agua en la mesita.

Hipón afirma que el alma es agua. Aristóteles, en *Acerca del alma*, no le concedía mucho crédito a esta teoría. Según él, Hipón tenía una mentalidad algo tosca.

Diles que no hagan ruido, o que se larguen, dijo el tío Jaime mirando hacia la puerta que daba a la sala en la que se congregaban las visitas. No hay manera de morirse en paz.

Expiró esa noche. El tío Jaime tenía un hijo que lo odiaba. En su confusión, Fermín pensó que quizá aquella confidencia en realidad iba dirigida a su hijo.

Entre los de pensamiento tosco, Aristóteles también citaba a Critias. Para éste, el alma es la sangre.

Tu padre, le dijo Fermín al hijo de Jaime, Isaac, a la hora de los pésames, tu padre tenía, en el fondo, un buen corazón.

Isaac lo miró con incredulidad. Agradezco que vinieses, dijo. Él quería que tú oficiases el funeral. Insistió mucho, ya sabes cómo era. Lo siento por las molestias.

Por favor, no es molestia. Este viaje me ha venido bien.

Lamentó haber dicho eso. No se deducía en absoluto de su tono, pero para cualquiera que, como el propio Isaac, estuviese al tanto de la historia familiar, era como si el enterrador dijese: Lo siento mucho, pero hoy es un gran día.

Pero el hijo del difunto añadió, sin pizca de suspicacia: Eres muy amable, Fermín.

Cuando falleció el marido de Ana, y eso había sucedido un año antes, a punto estuvo de darse de puñetazos en los ojos para hacerles llorar. Hasta que asumió la realidad de que no estaba triste y pidió perdón a Dios.

Tales decía que el alma es un principio motor. Según esta suposición, el imán posee alma puesto que mueve el hierro.

Era cruel pero honesto reconocerlo. Desde aquel día había sentido que lo que había entre él y Ana era un campo magnético, y que el obstáculo que los separaba, y que respetaban fraternalmente, había desaparecido. Como una mota de polvo. En cada eucaristía, al acercarse a ella, ya viuda, para darle la paz, su piel de imán desprendía una declaración bélica, de deseo y conquista. En el tic del labio inferior pandereteaban, como renacidas, todas las metáforas del *Cantar de los Cantares*. Con una yegua de carros faraónicos yo te comparo, mi amada.

Había ido a Vetusta para darle el último adiós a un moribundo, antaño enemigo implacable. Aquella llamada de Jaime que vivió como una victoria. Y había ido con Ana. Pasaron la noche en un motel de carretera, en las afueras. Su primera noche.

El alma, pensó él sentado en la cama, mientras Ana se desvestía, es como un valle verde con un río orlado de abedules.

Después, el tic del labio inferior contagió a todo su cuerpo, a sus carnes blancas y asustadas. A media noche, insomne, tenía la sensación feliz de que había recuperado sus libros, pero luego, a medida que la luz definía los objetos y expulsaba los cuerpos de su refugio, le acosó un remordimiento viscoso y turbio como agua de un lamazal. Ana intuía lo que estaba pasando y se mantuvo en silencio. En el campo magnético había surgido un nuevo obstáculo, imprevisto y posiblemente invencible. Él mismo. En la habitación entraba, lleno de furor, el padre Escolano, y nuevamente le arrebataba los libros al niño.

Y luego están los que afirman que el alma es el frior, ya que el alma *(psyche)* deriva su denominación de *psychron,* que significa frío.

La confesión de Jaime le dejó trastornado. Estaba pagado de sí mismo, pero no tanto como para ignorar la amarga burla que contenían sus palabras. En el lenguaje de su tío, ser tonto era ser cobarde. Si eres bueno, Fermín, venía diciendo, es por tu cobardía y no por tu valor. Tu bondad empieza donde tu miedo.

Brotó otro recuerdo perturbador: El recuerdo de Xistra, la pelirroja de los Ancares. Ella había estado en Barcelona, emigrante, con un pasado que se le suponía agitado, y retornó con una cierta fatalidad en los ojos que no velaba del todo el brillo de la vida.

El alma de Xistra, pensó, era como un carcaj de flechas llevado en bandolera por una amazona superviviente.

Xistra abrió una taberna justo enfrente de la iglesia a la que Fermín había sido destinado. En cierta forma, ambos competían por el alma de los feligreses. Pero se hicieron amigos, no sin cierto escándalo. Sin embargo, pese a las habladurías, era una amistad pura. Él no estaba enamorado de Xistra. Admiraba sus gestos osados, su libertad. Adoraba su pelo rojo y rizado por la misma razón que adoraba las bayas del acebo que crecía silvestre en una sombra del bosque.

El obispo acudió a la montaña para la fiesta de la confirmación. Se celebró un gran banquete campestre. Las gaitas sonaron como gorjeos carnales de la tierra. Pero a los postres, cuando todos paladeaban el almíbar de los melocotones, se hizo un silencio y Mundo, el patriarca de aquel lugar, se dirigió a monseñor.

Tenemos un buen cura, señor obispo. Lástima que no esté capado como los bueyes.

Al día siguiente, Fermín tenía un nuevo destino.

¿Qué habría sido de Ana? Él se marchó del motel como un fugitivo, como un marido putero al que su mujer esperaba haciendo punto de cruz ante el televisor. Recogió precipitadamente su cepillo de dientes, su ropa interior y no dijo palabra, con el sabor del salitre del pecado en el labio inferior.

Mi alma, pensó, son esas piedras amontonadas tras la catedral. Los dados de Dios. Un póquer fallido.

Braceó en el aire, espantando las motas de polvo. Y después entró en la Santa Basílica para oficiar el funeral.

Cuando alzó el cáliz con el vino de la consagración, descubrió a Ana entre los fieles. Atalaya davídica es tu cuello, bien guarnecida de almenas. Tus pechos son como crías gemelas de gacela pastando en los lirios.

Al beber la sangre de Cristo, notó el tic tembloroso, incontrolable, en su labio inferior. Ahí está, pensó. Ella, el alma. La maldita alma.

Charo A'Rubia

Me llamo Antonio Ventura y soy alcohólico.

Ése era el ritual de presentación en la Unidad de Ayuda y Autoestima de Monelos. Todos habíamos dicho aquella frase como quien arranca un tapón de corcho atascado en la garganta. El tapón giraba en una fatídica ruleta que nos apuntaba con su flecha. Pero durante varios días sentías vértigo y, cabizbajo, posabas tus ojos de plomo en el eje, justo en el centro del círculo, rogándole a Dios que el puntero de la rueda no girase en tu dirección.

Alzar la mirada, ir descubriendo a los otros, decía el psicólogo, era subir un primer peldaño en el retorno a la vida. Hay quien introduce barcos en una botella. También he visto quien mete escaleritas. Pero el arte que más cautiva es el de meterse uno mismo. Cuando la botella se seca y tú estás dentro, echas de menos no tener la compañía de un barquito o una escalerita. La vida, desde el fondo de la botella, es como el haz de luz de una linterna de policía en los ojos.

A mí me costó mucho, muchísimo trabajo, alzar la mirada, quizá porque no tenía ningún interés en hacer esa ruta de regreso a la vida. Me daba más miedo la gente que la bebida. Lo que pasa es que había llegado a un punto en que la bebida me hacía ver cucarachas en todas partes, en las sábanas de la cama, en los posos del café y en las comisuras de las uñas. Y bien sabe el Demonio que le tengo más miedo a las cucarachas que a la gente. En un tiempo estuve en un barco en el Gran Sol, el *Lady Mary*. Era un nido de cucarachas. No dormí en quince días. Estaba convencido de que si me dejaba vencer por el sueño, un ejército de cucarachas me abrirían la boca y harían su guarida en mis vísceras.

Antonio Ventura no miró para abajo la primera vez que se presentó.

Me llamo Antonio Ventura y soy alcohólico.

Dijo que era alcohólico con la resuelta naturalidad de quien se declara dueño de una bodega o de una destilería. Aún más, como quien dice que es católico. Lo miramos con inquietud y prevención, convencidos todos de que efectivamente estaba borracho. Pero no. En realidad, nunca entendí muy bien qué rayos hacía Antonio Ventura en la Unidad de Ayuda y Autoestima, antes llamada Asociación de Exalcohólicos. Si yo fuese un tipo sano, si yo fuese como Dios manda, si yo volviese a nacer, me gustaría ser Antonio Ventura.

En las sesiones de terapia, cuando nos tocaba el turno, la mayoría de nosotros sufría para vencer la vergüenza. Yo me retorcía las manos sin querer y los dedos se me enroscaban dolorosamente como si fuesen serpientes heridas. Tenía un estropajo en la lengua y balbuceaba cosas que me arañaban los labios. Enfrente, Antonio Ventura deletreaba mis palabras con ansia. Permanecía al acecho, ayudando con los ojos, como un intérprete de sordomudos. Y cuando le tocaba a él la sesión de terapia, parecía que el mundo había dejado de ser un caos. La vida, en aquel preciso instante, tenía sentido. Y yo sentía sed. Sed de la fuente de la que nacen los ríos.

Un día hablamos del llorar. El llorar es bueno, dijo el psicólogo.

El puntero de la ruleta, felizmente, apuntó en la dirección de Antonio Ventura.

Hay muchas formas de llorar, dijo Antonio Ventura. Pero la primera vez que oí llorar, llorar de verdad, la primera vez que dije esto es llorar, fue cuando lloró Charo A'Rubia en el cine Rex. Ponían *Capitanes intrépidos,* una película en la que trabajaba Spencer Tracy, que también había hecho de Thomas Alba

Edison, el que inventó la luz. Me encantaba cuando inventaba la luz. Bien, pues en la película esta de *Capitanes intrépidos* Spencer Tracy hacía de pescador en Terranova. Era la historia de un niño hijo de un padre muy rico que va en un barco que naufraga, y es rescatado por un bacaladero. Por aquel entonces no era como hoy, no había forma de mandar aviso, ni los pescadores podían volver de vacío por muy niño rico que fuese el náufrago. Así que el niño rico tuvo que seguir hasta el final. Era un auténtico repugnante aquel niño rico. No quería echar una mano y amenazaba con las represalias de su padre cuando volviesen a puerto, todo porque le hacían limpiar la cubierta o pelar unas patatas. El pescado no acudía y algunos hombres empezaron a murmurar que la culpa era de aquel mocoso, que había traído una maldición. Y ahí entra Spencer Tracy, que en la película se llamaba Manuel y era portugués. Pues bien, este Manuel, poco a poco, va haciendo entrar en razón al chaval. Con pocas palabras le descubre un mundo desconocido. El verdadero sentido del valor y del trabajo. Aquellos hombres, rudos y sin estudios, reaparecen a los ojos del niño como héroes. Manuel era para él una especie de Ulises que pescaba bacalao y, al mismo tiempo, la figura del padre que no había tenido, alguien que le enseñaba a luchar en la vida codo a codo. Claro está que tenía a su padre en tierra, pero no era un Ulises sino un señor Dólar. El chaval deja de ser un intruso caprichoso y pasa a ser el grumete, el niño del barco. Y el pescado acude a mansalva.

Yo también era un niño cuando vi aquella película, dijo Antonio Ventura. Mucho más pequeño que el de la película. Los pies me colgaban de la butaca. Lo recuerdo todo como si fuese hoy. Era la tarde de un domingo de febrero, uno de esos días agripados, de luz doliente, que empalman una noche con la otra. El mar rompía en el espigón queriéndose salir, con la furia de una bestia en las tablas del cercado. Yo llevaba un abriguito de cheviot de bolsillos muy profundos y, camino del cine, no sacaba las manos, muy apretadas las monedas de real, por miedo a que me las llevase el viento del nordeste como si fuesen dos petirrojos.

Y allí estábamos todos, dijo Antonio Ventura, sumergidos en la oscuridad del cine Rex, encogidos en las butacas, con las llamas de la pantalla lamiéndonos la cara. El pescador Manuel tocaba una zanfona y le cantaba al niño rico con un cariño que nos daba envidia.

¡Ay mi pescadito deja de llorar!
*¡Ay mi pescadito no llores ya más!**

Y entonces fue cuando Charo A'Rubia lloró.

Era el suyo al principio un llorar manso que se confundía con el gemido melancólico de la zanfona. Me di cuenta porque ella estaba muy cerca, justo a mi lado, dijo Antonio Ventura. Cogió un pañuelo blanco y trató de contenerse tapándose los ojos. Pero el llanto iba a más hasta que sus sollozos desbordados ocuparon todo el cine como si saliesen de la propia pantalla. Las cabezas giraron pero después volvieron a su sitio. Los mayores se llevaron el índice a los labios para acallar las preguntas inquietas de los niños. Lloraba Charo A'Rubia y hasta pareció que Spencer Tracy dejaba la zanfona para mirar con melancólica lástima hacia el patio de butacas. Me estremezco al recordar aquel llanto, el mar de lágrimas cayendo sin consuelo, salpicando mi abriguito de cheviot.

El marido de Charo A'Rubia había muerto dos años antes en Terranova. Todo lo que recuerdo de él, dijo Antonio Ventura, es que tenía unas manos enormes con cicatrices en las yemas de los dedos. Me habían llamado mu-

---

* En castellano en el original.

cho la atención porque yo había visto antes esas manos ofreciéndoseme como un cuenco lleno de caramelos. Más tarde me contaron que él mismo se había hecho aquellas heridas, abriéndose la carne a navaja para que con la sangre caliente no se le helasen las manos, un día de frío polar en Terranova.

Charo A'Rubia era mi madre, dijo por fin Antonio Ventura.

Y fue la primera vez que lo vi con la cabeza gacha en la sesión de terapia de grupo, como si arrancase de la garganta un maldito tapón de botella.

La trayectoria del balón

Con la rabia de ir perdiendo, le di un patadón al balón y salió como un obús. Desviado. Le dio en la cara a la mendiga de los plásticos. En el suelo quedaron, destrozadas, sus gafas.

Todo calló en el Campo de Marte. El balón rodó y volvió hacia mí como llevado por un impulso delator. Hasta los ojos de los árboles parecían mirarme con desaprobación y una paloma bajó a contar los fragmentos de vidrio.

¡Corre, Román!, llamó Uri. ¡Corre! Y todos los de la pandilla le siguieron, huyendo al trote hacia la calle del Matadero, con una estela de nerviosas carcajadas.

¡Hijos de la gran puta!, gritó la mendiga de los plásticos.

Era muy fea, cara de patata blanda, con brotes verrugosos en la piel. Pero los ojos, repentinamente desnudos, llorosos y enrojecidos por el arranque de ira, le daban un aire de niña ultrajada en el recreo.

¡Corre, Román! Escuché a lo lejos la voz de Uri: ¡Te va a chupar la sangre!

Ella se removió en su asiento y palpó el montón de bolsas. El recuento del tesoro. Andaba siempre con ese cargamento de sobras y basura, y nosotros la veíamos pasar como una nube sucia que va a ras del suelo, con un velo de moscas y el limo de un caracol gigante. Si hubiese una guerra, pensé, todas las balas perdidas le darían a ella. Así que estás a tiempo. Coge el balón y lárgate. Ni siquiera te ve.

¡Ven aquí, muchacho! Su voz tenía ahora un tono de súplica.

¡Ayúdame, chavalín!

Sentí que tiraba de mí como un sedal. Dejé rodar el balón hacia el seto de mirtos, recogí la montura de las gafas y los pedazos de cristal, y los deposité en sus manos.

¡Esos hijos de la gran puta! Y murmuró lo que parecía una maldición: ¡Ojalá se les sequen las lágrimas en el manantial de los ojos!

Guardó los restos de las gafas en una de las bolsas. Había un pan enmohecido. Y había también el cuerpo sin brazos de una muñeca vieja.

A ti no, niño, dijo levantándose con mucho trabajo. A ti que no se te sequen. Ya se ve que tú eres un buen muchacho.

Era una mujer de baja estatura pero de una redondez enorme, como un pajar bajo un gabán gris, del color de la lluvia fría. Las bolsas fueron hacia ella, prendidas del tendal de sus brazos. La última, la de las gafas destrozadas, el pan enmohecido y la muñeca amputada, le quedó colgada de la punta de los dedos.

Si quieres, puedes ayudar a esta pobre vieja.

Y allá me fui con ella, como un satélite menudo, con las rodillas heridas por el fútbol, en la órbita de un planeta bamboleante y con un tesoro de basura en el gancho de la mano.

Subimos la cuesta del Campo de Marte, atravesamos la calle que lleva a la Torre, hasta llegar a una calleja de las Atochas. La vieja se detuvo ante una puerta de madera labrada en hiedra, y una aldaba de ninfa. Dejó las bolsas, rebuscó en los bolsillos y fue quitando pañuelos sucios, de ilusionista mendicante, y después un bazar de cosas, desde huesos de cerezas a aspirinas, hasta encontrar la llave.

El pasillo estaba muy oscuro, un túnel del que no se veía el fondo.

Sin las gafas no encuentro esa maldita luz, dijo ella.

Fue entonces cuando entré. Distinguí bien la llave de la luz y fui a encenderla. Y justo cuando lo hice, la vieja me agarró por el gaznate. Una tenaza que estaba a punto de ahorcarme.

¡Ah, cabrón! ¿Pensabas que yo era tonta o qué?

Me sacudió en el aire. Perdí el aliento y vi a mi ángel traspasando el techo: ¡Adiós, Román! Serás un bonito muñeco.

De repente, me soltó y caí al suelo como un saco desollado.

Los niños se recuperan enseguida, eso dicen, y traté de escabullirme entre las columnas macizas de sus piernas. Pero ella me agarró como a un pichón por las alas de los brazos, otra vez en el aire. Tenía los mismos ojos que aquella maestra que se había vuelto loca y que lloraba al pegar.

¡Pobrecito, pobrecito mío! Mely no te va a hacer daño. Tranquilo, mi niño. Mely nunca le ha hecho mal a nadie. No tengas miedo. ¿Verdad que no tienes miedo de Melita?

Asentí con la cabeza.

No tengas miedo.

Negué con la cabeza.

No, no tengas miedo.

Y cerró de un portazo. Ahora me llevaba fuertemente cogido de la mano. Todos mis sentidos estaban concentrados en los resquicios de luz, en los agujeros posibles para la salvación. En aquel corredor de la muerte, me sentía identificado con cada uno de los bichos de los que había sido verdugo. Me sentía mosca, hormiga, cucaracha, grillo, lagartija, mariposa, renacuajo, cangrejo, ratón. Sí, ratón. Había matado un ratón en la aldea de mis abuelos. Ésa era mi pieza de caza mayor. Vi el ratón agigantado. De mi tamaño. Lloraba por aquel ratón.

No llores. No sé por qué todos tienen miedo de la pobre Mely, dijo ella, enjugando las lágrimas. Si todo lo que hago, lo hago para cuidar de mis niñas.

Abrió una puerta en el pasillo y encendió una luz. Era una habitación pequeña, una despensa. Los estantes estaban atestados de muñecas. Muñecas amputadas. Las había sin piernas, sin brazos, sin ojos. Muñecas greñudas, muñecas calvas.

Es la habitación de mis niñas. Míralas, pobrecitas. Todas han venido de la basura. Y Mely cuida de ellas.

Y entonces me di cuenta de que era capaz de hablar. Una hendidura de luz que venía de mis entrañas.

Yo puedo ayudarla, señora.

De vez en cuando, dijo ella, encuentro una pierna para las cojitas. Y un brazo para las mancas. Pero, ¿los ojos? Eso es más difícil. ¿Cómo encontrar los ojos sin arrancárselos a otras? He probado a ponerles ojos de peces, en la basura de los ricos abundan los ojos de merluza, pero se pudren.

Yo puedo conseguir ojos, señora. Sé dónde hay ojos de muñecas.

Me cogió la cara y me miró de frente, como si acabase de descubrir mi presencia: ¿Y tú quién eres? ¿Qué haces aquí con mis niñas? ¡Fuera, fuera, cabrón de hombre!

Corrí por la cuesta del Monte Alto sin mirar hacia atrás. Por los roquedales del Orzán, jugando a escapar de las olas, encontré a mis amigos.

Hostia, tío, ¿dónde te habías metido?, preguntó Uri.

Fui a dar una vuelta por ahí, comenté como de pasada.

Esa vieja es una bruja, dijo Uri. Suerte que no te pillase. Dicen que fue una puta.

Yo me reí nervioso y puse cara rara. ¿Una puta?

De joven era muy guapa. Demasiado linda. Lo oí decir en el bar de Amancio. Se la folló todo dios. Eso decían. Se la pasó por la piedra medio mundo. Más puta que las gallinas.

Ahora nos moríamos de risa. Era una palabra que nos hacía reír, esa de *puta* unida a la de gallina. Y después me fui de allí por el arenal, y arrojé una concha contra la estela de brillo que el sol pinta en el mar.

La concha fue dando saltos hasta hundirse.

La barra de pan

Tras el entierro, en el cementerio de San Amaro, habíamos ido al Huevito y luego al bar David para brindar por el alma difunta. Había muerto la madre de Fontana. Él estaba muy apesadumbrado, como si el peso de la caja continuase aún allí, en su espalda, y con ese aire de dolor culpable que tienen los hijos cuando se les va la madre. En su caso, la madre había tenido Alzheimer y confundía a su hijo con el hombre de la información meteorológica en la televisión.

¡Mira qué formal está!, decía ella. Y le mandaba un beso soplando en la palma de su mano hacia la pantalla.

Fontana interpretaba aquella desmemoria como una señal de protesta, de acusación indirecta por sus largas ausencias. Estaba soltero como todos nosotros y le iba la bohemia. Le llegó a tener mucha antipatía al Hombre del Tiempo. Hasta que O'Chanel le dijo un día: Es que se parece a ti, Fontana. Es igualito a ti.

Y Fontana se puso un traje de chaqueta cruzada como el de aquel Hombre del Tiempo y le dijo: Mamá, soy yo.

Ya veo que eres tú, le respondió su madre sonriente. Mucho he rezado para que te dejasen salir de las isobaras.

En la barra del bar estaba Corea. Era un bebedor solitario, que no se metía con nadie. Pero en lo poco que hablaba, incluso cuando quería ser amable, le salían apocalipsis por la boca, que decía con una voz grave, como paladas de tierra. Por eso, cuando se acercó a Fontana, nos pusimos en guardia. Pero Corea le puso la mano en el hombro y le dio un pésame sorprendente: A los muertos hay que dejarles ir. No hay que tirar de ellos hacia abajo. Hay que abrir un teja en el tejado. Y que el alma busque su sitio.

Sin más, Corea se fue hacia la barra, bebió el trago que le quedaba, pagó la ronda y se marchó por la puerta sin despedirse.

Por un tiempo, nos quedamos mudos. Es una hermosa oración, dijo por fin O'Chanel.

La mejor, añadió Fontana pensativo.

Va un brindis por el alma.

¡Por el alma!

Es cierto, dijo O'Chanel. Es cierto que hay cosas que tienen alma. O dicho de otra manera, hay sitios en los que se posan las almas como los pájaros en las ramas.

O'Chanel siempre tenía un cuento en la recámara para tapar los tiempos muertos.

Sólo necesitaba un trago para, según decía él, mojar la prosodia. Había emigrado a Francia de joven, en uno de esos trenes que salían atestados de Galicia. Y le había ido bien. Oye, tú, ¡yo colocaba guardabarros en la Renault!, decía como un mariscal victorioso. Incluso contaba que había estado sentado con un filósofo célebre en la terraza de un café a la orilla del Sena y que el filósofo había tomado notas de cuanto él le decía. Por supuesto, aseguraba O'Chanel, antes me pidió permiso. ¡Ése sí que es un país con cultura y educación! Y es que a veces le entraba nostalgia del revés: ¡Aún he de volver a París! Un hombre con prosodia allí es un galán.

Yo, una vez, dijo ahora O'Chanel, una vez me comí un alma.

Y miró a su alrededor, uno por uno, como quien pide tiempo antes de ser contrariado.

De niño, en los tiempos del hambre, mi madre me mandó con la cartilla de racionamiento. A ver qué daban. Siempre daban poco, pero cualquier cosa que entrase en la casa del pobre era un manjar. Nosotros vivíamos en la aldea, pero no teníamos tierras. Mi padre, ya sabéis, era obrero. Los labradores aún se iban arreglando. Venían los de Abastos, rapiñaban todo lo que podían, pero siempre había algo que echar al puchero. Pero el nuestro, las más de las veces, sólo tenía un hueso para darle sabor al caldo de verdura. Y éramos muchos en la familia, una rueda de polluelos alrededor de la madre. Cuentas esto ahora y se ríen de uno, pero vosotros sabéis que era cierto.

Pues bien, mi madre me mandó con la cartilla. Me dijo: Anda, a ver qué dan.

Salí por la mañana temprano. Tenía que andar cinco kilómetros hasta Cambre. Dejé atrás la casa, oscura y ahumada, porque las desgracias nunca vienen solas y el fuego arde mal, se hace perezoso cuando no tiene sustancia que cocer. Dejé atrás a mis hermanos, una letanía coral de llanto y tos. Y el día, por fuera, era como la casa por dentro. Con una niebla pegajosa, una roña fría y tristona que envolvía todas las cosas y se te metía en la cabeza. Había algunos pájaros en ramas y cercados, pero todos parecían estar de luto, ensimismados y con el capuchón fúnebre. El camino estaba enlamado y yo buscaba apoyos de piedra para no empapar los zuecos, pero a veces resbalaba, hasta que el barro me llegó a los tobillos y entonces me despreocupé, y me metía en los charcos adrede, como animal de agua. Por los lugares que pasaba, la gente no parecía verme. Yo decía buenos días, miraban de reojo, pero no respondían a mi saludo. Era un niño invisible.

Así fue mi viaje hacia la barra de pan. Porque todo cuanto me dieron cuando mostré la cartilla fue una barra de pan.

Y volví abrazado a la barra. Para mí aquel pan tenía el color del oro. Ahora caminaba con mucho tiento, dando rodeos para encontrar el buen paso. Por nada del mundo podía resbalar y echarla a perder. Fue entonces cuando el hambre despertó. Yo la mantenía entretenida, adormecida, pero creo que despertó al sentir tan cerca el pan. Y, sin pensar, cogí un cuscurro. Y lo dejé ablandar en la boca, demorando, sin masticar. Me sabía a todos los sabores. A dulce, a caramelo, a maravilla. Y ya noté que el día estaba clareando, con la niebla que se alejaba, deshilándose en los árboles.

Y los dedos siguieron agujereándole las entrañas, haciendo bolitas de miga. Andaban a su aire, sin que yo tuviese cuenta de ellos, y llevaban las migas a la boca como si fuese otro quien me las diese. Sí que era un bonito día. Nunca había reparado en los colores que tiene el invierno en Galicia. Con las violetas al borde del camino, los tojos que doran los montes, las flores de los nabales como inmensas alfombras palaciegas.

Otro bocado y los pájaros se ponen a cantar. El mirlo, el petirrojo, el gorrión, el reyezuelo, la collalba, el herrerillo, el pinzón, la alondra en lo alto. Alegres parientes que no emigran.

Otro pedazo de pan en el paladar y las campanas de Sigrás que se ponen a repicar. No era un sonido fúnebre, como acostumbraban en aquel tiempo. Era un repique festivo, que recorría los campos como una alborada.

El mugir de las vacas y el canto de los gallos parecían himnos de abundancia y de vida. Un viejo apilaba estiércol en el carro, llenando la mañana de un aroma cálido que olía a las cosechas futuras, a cachelos cocidos y a borona, e incluso a las sardinas del mar.

¡Buenos días, chaval!, dijo Vulto, el viejo vecino que nunca decía palabra. ¡Feliz Navidad!

Aquel saludo cariñoso tuvo el efecto de una bofetada. Vulto era mudo y la Navidad había pasado hacía un mes.

Miré hacia abajo. De la barra sólo quedaba un polvo de harina en el gabán. Ante mi casa, lo sacudí como quien sacude un pecado. Abrí la puerta y una docena de ojos, en aquella cueva ahumada, miró con brillo de ansia para mí.

¿Qué te han dado?, preguntó mi madre.

Un pan, dije, una barra de pan.

Para no retrasar más la penitencia, añadí a continuación: Me la he comido entera por el camino. Y dejé caer los brazos, acercándome a ella con desazón, deseando que me golpease muy fuerte.

Mi madre me miró de frente, como quien se pregunta en qué momento se estropea la obra de Dios. Pero luego me acercó a su vientre y me secó la cara con aquel delantal que tenía, estampado en flores de manzanilla.

Y mi madre dijo: ¡Has hecho bien, hijo, has hecho bien!

La rosa de piedra

Chove en Santiago, meu doce amor...

De *Seis poemas galegos*,
de FEDERICO GARCÍA LORCA

Mireia tiene un tic. De repente, con el aspa de la mano, aparta el aire de los ojos.

En el pasillo del aeropuerto, los pasajeros que se cruzan podrían pensar que la chica de chaleco y bolsa de fotógrafo al hombro, con cierto peso, por la escora del cuerpo, sólo intenta despejar la mata de pelo rebelde que le estorba la vista. Pero el gesto es demasiado brusco, como si la mano no fuese aspa sino garra que araña con rabia el aire. Para apartar el cabello, bastaría un soplo acompañado de un leve meneo que, por otra parte, es lo que Mireia hacía con naturalidad antes de que el mundo se poblase de moscas y de ese olor espeso que se pega a la piel como grasa de una maquinaria barata. El olor de la muerte pobre.

Mireia tuvo conciencia de ese tic por vez primera ante un espejo en un hotel de Kigali. Anotaba impresiones en su diario. Sintió que su energía para escribir se iba extinguiendo como el grosor de la tinta hacia el final de la carga, cuando el plumín, al secarse, envidia la dureza de un cincel. Cada palabra requería el esfuerzo de un petroglifo. Escribió: Los niños ni siquiera tienen fuerza para pestañear. Y añadió: Ya no imploran, ni expresan nada, ni siquiera el pánico, pues las moscas les secaron las lágrimas y el brillo de los ojos. Entre cada cincelada, sobreponiéndose a su propia pesadez, la mano oscila ante la cara como una palma de mimbre trenzado.

Fue entonces cuando alzó la mirada hacia el espejo y vio el áura poblada de moscas.

Pero en aquella habitación de hotel, con las contras cerradas para que no entrase el mundo, no había moscas.

¿Por qué haces eso?, le preguntaría mucho después Bastián.

Bastián era ciego, pero sentía como vendaval próximo las aspas de un alma gemela y agitada.

Para espantar las moscas, dijo ella. Y era la primera vez que reconocía en voz alta la naturaleza de su tic.

Mireia, y estamos aún en el aeropuerto, se dejaba llevar por la cinta mecánica, somnolienta pero tensa como un topo que olfatease la repentina luz. Durante el largo viaje de vuelta, su cuerpo, rendido, se quejaba por estar atado con una amarra obstinada a aquella cabeza en vigilia que cuando cerraba los ojos, sólo conseguía ocultar en parte la cicatriz de la

tierra rojiza con un gris de humo. El sueño so-
ñaba una paz imposible de terciopelo negro.
Ahora, en el *travelling* de la cinta mecánica,
Mireia notó que una adición de gris plata des-
pejaba el gris ahumado. Y a continuación, como un revelado de Polaroid, el tropel alegre y
bullicioso de los colores publicitarios se apropió
de su mirada. Hasta que el rostro se le cubrió
otra vez de moscas y tuvo que espantarlas con
el tic de su mano.

Hablando de colores, en el baño de la
casa de Mireia había un frasco de sales que le
dan al agua un tinte azul báltico. La bañera,
desde dentro, es ahora como un mar azulísi-
mo en calma. Ella está sumergida. Juega, como
cuando era niña, a resistir.

Para llenar la casa de compañía puso
una música querida, la que le esperaba con los
brazos abiertos, con Nick Cave cantando *Into
my arms, oh Lord,* pero, bajo el agua, es una
voz de silabeo metálico la que la perturba.

Tenemos el archivo lleno de niños ham-
brientos con moscas en la cara. Ésta, ésta por
lo menos es diferente. Un brazo que pide auxi-
lio entre un montón de muertos. Ésta sí que es
buena. La de dios. De puta madre. Como una
bandera de carne.

La imagen se frota, azulada, con una
contrapágina de Rolex de oro.

Mireia recuerda el día de aquella foto. Quería ir en ayuda de aquel brazo de mujer. De la bandera de aquel cuerpo agonizante. El oficial de los cascos azules la frenó. No estás aquí para eso. Recuerda también la frase del veterano: No se puede enfocar con los ojos llenos de lágrimas.

Y ella apretó los dientes para que no le temblase el pulso. Disparó.

Sí, es verdad, esta foto tiene alma, dijo como elogio su mejor amigo de la redacción.

Soy yo, brazo, cazadora furtiva de almas. Emerge sofocada. Dice: Mierda.

Duerme acurrucada sobre la colcha, sin deshacer la cama. Tiene puesto el chaleco por encima del pijama y cobija la cámara, la protege con la guarnición de sus brazos.

Suena el teléfono. Una voz en el contestador, con entonación segura, acostumbrada a colarse por las rendijas de las paredes.

Hola, soy Inma. Estilista de *Vanguard*. Me dijeron que hoy regresabas de África. Tengo una propuesta que hacerte. Algo especial, que te va a sorprender. La moda fotografiada por una reportera de guerra. Una mirada dura contra el *glamour*. Insulta al contestador, pero no me digas que no. Besos. Inma.

Mireia se agita en la cama. Dice: Mierda. Búscate otra basura para tus fotos de moda.

No te arrepentirás, dice ahora la voz de Inma. Están en O Cebreiro. Mireia ha aceptado el trabajo. Dos días encogida en su cama, aferrada a aquel brazo. Por fin, la voz que piensa por ella le dijo: Suelta ese brazo. Déjalo caer en paz. Vete a hacer un poco el tonto.

En el Cebreiro hay una iglesia austera, desadornada, con el formato elemental de una oración en la alta montaña. Dentro se conserva un cáliz, del que la leyenda local dice que es el santo Grial.

Es verdad, bisbisea Kiss, se parece al de la película de Indiana Jones.

Inma ignora el comentario.

El concepto... ¡Odio esa palabra! Pero el concepto, dice Inma, es que vivimos una nueva Edad Media. El estilo internacional sería el del peregrino. Una nueva espiritualidad que no renuncia a la belleza corporal. Los ejecutivos se vuelven locos con el peregrino pelma de Paulo Coelho. Mística materia... ¿Es mi móvil? ¡Ya empezamos! ¡Maldito cacharro!

Sí, sí, soy yo. Sí, sí, y sé que eres tú. Claro que estamos trabajando. Sí, todo bien. Espera, no se oye. Estoy en una iglesia. ¿Que quieres hablar? ¡Pero si ya estamos hablando!

Kiss, la modelo, es de una delgadez negligente. A veces, Inma la sujeta por el brazo como si temiese que se la lleve una ráfaga de viento. Con el pelo *garçon*, cultiva un aire adolescente aunque ya no lo es. Su forma de hablar parece carecer de raíz, como indiferente al significado de las palabras que dice. Pero cuando posa seria ante la cámara, sus facciones se endurecen como las de un soldado y su mirada transmite un pesar acuoso, quizá antiguo.

Mireia la está fotografiando en el escenario de las pallozas, las casas campesinas de la vieja Europa prerromana, que aún se conservan en esta aldea, para los peregrinos señal de que entraban en tierra gallega y se acercaban a la meta de Santiago. Entre la niebla, que avanza a ras del suelo como aliento de nieve, surge una figura con guadaña. Mireia parpadea conmocionada. La cámara de su mente dispara instantáneas de dolor, la memoria de la guerra. La figura se acerca. Es una campesina que sonríe. Mireia le pide que se deje retratar con Kiss. Dice: ¿Por qué no? Tiene las mejillas sonrosadas como una gracia.

Ahora, por favor, no sonría, solicita Mireia con una sonrisa profesional.

Para entretenerla, le hace alguna pregunta: ¿Y por aquí pasan muchos peregrinos extranjeros?

Pasan, pasan, dice la mujer. ¡Incluso vienen de Madrid!

Inma habla por teléfono. Si se viese a sí misma, probablemente se haría gracia, pues gesticula como quien interpreta un monólogo en lo alto de una montaña, peinada por el viento como una heroína romántica con teléfono inalámbrico.

¿Que tienes sentimientos encontrados? ¿Qué quieres decir con que tienes sentimientos encontrados? Todo el mundo tiene sentimientos encontrados. Todos los sentimientos son encontrados. Yo también tengo sentimientos encontrados. No, yo no he dicho que no esté segura. Eres tú quien ha dicho que... Lo siento, querido, te llamo más tarde, ¿vale? Es que tenemos que trabajar. Y va a llover. Sí, justo está empezando a llover. No, no necesito contar hasta diez. ¡Una, dos y tres! ¡Te quiero!

Si es mentira, adoro esa mentira.

Al cortar, Inma cierra los ojos y suspira. Paciencia. Te quiero.

Después mira hacia el cielo y se vuelve hacia sus compañeras: Está clareando. Tenemos que aprovechar el día. Seguro que hoy no llueve.

En la fachada de Platerías, en la más antigua puerta de la catedral, aquella cuyo tímpano representa las tentaciones de Cristo, este lugar está ocupado por el ciego Bastián. Ofrece la vieira, la concha de Venus y el más tradicional símbolo de la peregrinación.

¡Vendo vieiras, también vendo historias!, proclama Bastián.

Vieiras, cien pesetas. Cuentos, la voluntad. Se admiten escudos, coronas, marcos, liras y níqueles.

Bastián y Omar son amigos. De hecho, comparten casa con Manuel, el gaitero, con Mouzo, el escultor, y con Don Álvaro, un loro que habla francés. La vieja casa de Bastián, un piso con buhardilla de la Algalia, en la parte antigua, es como una balsa de náufragos. Fueron a parar allí, ayudándose los unos a los otros. Se reparten las habitaciones y en la sala hay una gotera que gotea todo el año, llueva o no, sobre un orinal de porcelana en el que vive un pez de colores llamado Jonás. El suelo de la sala está cubierto de manzanas. Bastián afirma que el aroma de las manzanas es también el del Antiguo Reino de los Sueños.

Mi madre comía muchas manzanas. Lo recuerdo bien, de cuando yo estaba dentro. Le gustaban mucho esas que llaman reinetas.

Omar había ido a buscar al ciego Bastián para protegerlo de la lluvia con una de sus alfombras. Al caminar juntos, es como si la alfombra tuviese alma con sus franjas de colores vivos y ondulantes.

Algún día, amigo Omar, le dice Bastián, alfombraremos todo Santiago.

Ésa será demasiada alfombra, Bastián.

No seas incrédulo. Así hacían por la noche de Corpus en muchos lugares campesinos. Una gran alfombra con pétalos de rosas y hortensias que cubrían todas las calles. Y que después llevaba el viento. ¡Tú serás nuestro canciller de alfombreros, Omar!

¿Es cierto eso que he oído, Bastián? Que el apóstol este que adoráis mató él solo treinta millones y 761.423 musulmanes.

No hagas caso, hombre. Son cosas del *marketing*. Hace siglos había mucha competencia. En realidad, el apóstol era palestino. O sea, antiimperailista. Cuando veas una farmacia, avisa.

Omar sabe que Bastián se guía por sus ocurrencias. Sus pasos siguen la grafía de un cuento.

He oído decir que hay unas aspirinas contra la saudade, le dice Bastián a la farmacéutica.

La mujer de la farmacia lo mira con asombro.

¿Contra la saudade?

Sí, lo he oído en la radio. Todo natural. Y llevan bicarbonato para los pedos saudosos.

La farmacéutica le sigue la broma: Tenemos unas cápsulas muy buenas para el estrés, la ansiedad, el vértigo y el insomnio. Pero para eso que usted dice...

¿Eso? ¿Le llama eso a la saudade? ¿No hay nada para la saudade? Ya ves, amigo Omar. ¡No hay nada para el mal más antiguo del ser humano! Bueno, pues entonces déme unos caramelos de miel para la garganta.

Calle arriba, jadeando, prosigue su discurso contra la saudade.

¡La saudade! Pereza, reuma, bronquitis de un pueblo anfibio. Teixeira* propuso convertirla en filosofía del «Estado Novo». ¡Qué tontería más tonta! António Sérgio le respondió que también los perros tienen saudade del hueso que no roen. Aunque peor que la saudade es su contraria, la euforia futurista.

¿Y la rabia?

La rabia no está mal. De vez en cuando.

Cuando llegan a la puerta de su humilde morada, los saluda la gaita de Manuel.

¿Escuchas? La *Marcha do Antigo Reino*. ¡Entramos en palacio, Omar!

En su habitación entreabierta, el escultor Mouzo le quita brillo con parsimonia a sus botas talladas en madera de boj. Lleva dos años trabajando. Son, dice, el recuerdo de los zapa-

---

* Teixeira de Pascoais, escritor portugués considerado como máximo representante del movimiento saudosista.

tos montañeses de su padre, que abrían caminos y senderos con pisar sólo una vez las aulagas y zarzas silvestres.

¡Hola, Jonás!, saluda Bastián al pez. Y luego al loro: ¡*Bonsoir,* Don Álvaro!

Je suis très joli, mon ami!, dice el loro.

Eres feo y viejo como yo. ¡Que no te engañe la literatura! *Le temps s'en va,* Don Álvaro.

Cuando llueve, Santiago es una invención submarina. Como el mar no llega hasta aquí, pero sabe de su existencia, se alza en grandes vejigas nubosas que inundan la ciudad de piedra. Y por boca de los caballos de Platerías mana el agua.

Cuando está sola, Kiss contempla con horror los espejos. Revuelve su equipaje, busca en los lugares más insospechados y encuentra su droga: los bombones de chocolate. Se los come compulsivamente. Después se pesa en la báscula del baño. Luego llora.

Cuando está sola, Inma llama por teléfono y prosigue una disputa que parece eterna.

Nunca me he metido en tu trabajo, no sé por qué dices que te condiciono. ¿Que es mi personalidad la que te condiciona? ¿Qué estás diciendo? ¿Has esperado a que estuviese lejos para decirme que soy fría y calculadora? ¿Que yo acorto *tu* sentido de la mirada? Claro

que soy calculadora. Déjame decirte que soy
yo quien paga el alquiler, ventanas y luz inclui-
das. ¿Sabes lo que te digo? Que te des por alu-
dido. ¡Vete al infierno!

Inma corta bruscamente. Contempla sus
pies descalzos: Él dice que le he robado el alma. Eso ha sido siempre una declaración de
amor, ¿o no?

Sesión de moda en el Mercado de la Piedra. Kiss se retrata en puestos de verdura y fru-
tas, de quesos del país, de pescado.

Las caballas brillan como onzas de plata.
Piezas de bravura amputadas al mar.

¡Cógelas con las manos!, pide Mireia.

Kiss hace un gesto de asco. ¿Con las
manos?

¡Cógelas!, ordena Inma.

Mireia dispara y se enciende el flash. De
repente, su mirada se distrae. Bastián, el ciego,
huele una manzana y paga la mercancía con
un poema.

> *De todos os amores o voso amor escollo:*
> *miñas donas giocondas...*
> *Le temps s'en va!*
> *Le temps s'en va!...* *

---

* De todos los amores el vuestro escojo: / mis damas giocondas... /
Le temps s'en va! / Le temps s'en va!... (fragmento de un «Rondeau» de
Álvaro Cunqueiro).

¡Qué zalamero eres, Bastián!, dice la vendedora de fruta, halagada. ¡Puedes llevarte otra!

Y ahora se acerca a la pescantina. Coge con naturalidad la caballa y cierra los ojos al olerla.

> *Do mellor do país,*
> *branca camelia e flor de lis!**

Esa copla es repetida, Bastián, dice la vendedora.

> *Ei ti, raíña de Galicia,*
> *a que me matas,*
> *emigrante gioconda,*
> *vieira peregrina,*
> *rosa do mar,*
> *tenme da vida, amor,*
> *tenme da vida!***

Mireia lo observa fascinada. Se desentiende de Kiss y apunta con la cámara.

¡Alto!, dice muy serio Bastián, como si descubriese a Mireia con un radar de los senti-

---

* ¡De lo mejor del país, / blanca camelia y flor de lis!
** ¡Eh tú, reina de Galicia, / la que me matas, / emigrante gioconda, / vieira peregrina, / rosa del mar, / cuida de mi vida, amor / cuida de mi vida!

dos. ¡Nada de fotos! ¡No dais nada a cambio, ladrones! ¡Sois unos ladrones!

La sesión de fotos transcurre ahora en un tejado de la catedral, sobre una cubierta de losas de piedra. Kiss extiende sus brazos. Justo a su lado, la campana de la Berenguela da las horas.

Conocí un tipo en Dublín, dice Kiss de repente, con una rara nostalgia. Era un cubano que se bajó del barco y ya no se volvió a subir. Muy sonriente, pero parecía que siempre tenía frío. ¡Llevaba gorro de lana y guantes en verano! Le pregunté qué hacía y señaló la torre de la catedral diciéndome: Toco las campanas de san Patricio. ¡Qué bonitas son las ciudades en las que aún se escuchan las campanas!

Sentada en el tejado, Inma marca con insistencia en el móvil un número de teléfono.

¡Qué raro! No da señal. Con irónico fastidio: ¡Y eso que estamos en el cielo!

Ahora van en un coche. Mireia conduce. Llueve, y a través del parabrisas el mundo es una acuarela gris que se desvanece y se reconstruye y se desvanece. De improviso, en aquel cuadro borroso entra un rostro que se vuelve ya congestionado por la intuición del dolor. Milésimas de segundo pintadas por un Francis Bacon. El golpe lanza el cuerpo contra el capó. Tras el rápido frenazo, resbala como un fardo hacia el suelo.

Sobre el pavimento húmedo yace Bastián. Desparramado, como destrozado blasón marino, su cargamento de vieiras.

Cuando camina por el pasillo del hospital, Mireia tiene la sensación de que regresa a la pesadilla. Teme que las puertas se abran y surjan las fotos de la matanza y el hambre, sobre todo las más terribles, las de aquellos niños que ya habían dejado de llorar, tan delgados que se les ve el día a través de las orejas y que viven en un deslugar, muertos todavía vivos, vivos ya muertos, transparentes a la luz como la película que los retrata. Por eso, la imagen de Bastián, vivo y despierto sobre la blanca cama hospitalaria, es un alivio, un conjuro.

Lo mira sin decir nada.

¿Hay alguien ahí?, pregunta él con cómico dolor, olisqueando el aire. Debería ser obligatorio llevar perfume. Así distinguiría a la gente que no habla. ¿No será usted la señorita Clair Matin?

Ya sabe quién soy, dice ella. Le he traído sus conchas. Y vengo a pedirle perdón.

¿Perdón? Pero si estoy muy contento. ¡Es la primera vez que me atropella un chica! Fíjese que la última vez fue un cura. ¡Qué desastre!, pero, ahora, ¡una mujer! ¡Una chica guapa!

No, no soy guapa, dice Mireia muy seria. Ni siquiera con aquellas bromas fue capaz de reírse.

Bueno, un ciego tiene sus derechos, ¿sabe?, y uno de ellos es ver lo que me da la gana.

Lo siento, de verdad, dice Mireia. Fue un despiste. Tenía como niebla en los ojos.

Deje que le cuente una cosa en agradecimiento por atropellarme de una manera... tan cariñosa. Es una historia que nadie conoce.

La gente piensa que la niebla viene de fuera. Que nace en el mar, o en los ríos, o que desciende del cielo como un cobertor. Pues de eso nada. La niebla de Santiago nace en el interior de la catedral. Hay una cofradía secreta, la de los Tiraboleiros Neboentos, que por la noche, cuando cierran el templo, mecen el botafumeiro, el gigantesco incensario. Y al amanecer, poco a poco, va saliendo la niebla como vaho vacuno. Sale por debajo de las puertas, por la boca o el culo de las gárgolas, por los ojos de las cerraduras, por las alcantarillas del Inferniño. Y envuelve la ciudad con la mejor seda de Galicia. Así es como nace la niebla.

Kiss se mira en el espejo. Tiene las ojeras de un insomnio interminable. Luego vomita la tristeza en el lavabo. Se viste y se pinta en memoria de la adolescente punkie que ya no es. Se lanza a la calle. Vaga por la Alameda y luego por el laberinto de piedra que es la ciudad vieja. Flaca y gorda, Compañera Sombra, alma esclava, qué más le da. Una música, que le suena a lamento y aullido, va tirando de ella.

Bajo el arco de la casa episcopal, el gaitero Manuel toca una música que huele a hoguera de algas sobre la nieve. El sombrero en el suelo, con unas monedas.

Kiss se sienta en la escalinata, abrazada a sus rodillas. La Compañera Sombra, su alma gemela, vuelve a su sitio.

Cuando acaba la música, Kiss dice en alto: ¡Tengo hambre!

¿Qué?

Que tengo hambre. ¿Me invitas a cenar?

Están en una taberna. Un plato de pulpo a la feria. Ella come y bebe como si fuese la primera vez después de muchos años.

Es horrible. ¿Cómo podéis comer esto?, dice ella, llevándoselo con repugnancia a la boca.

¿A que te gusta?, dice él.

Sí. ¡Qué extraño!

El pulpo es un animal futurista. Viene de otro planeta, ¿sabes?

Yo también, dice ella.

Ahora están sentados en la escalinata que une la Quintana dos Mortos y la Quintana dos Vivos.

¿Y de qué planeta vienes tú?, pregunta Manuel.

Creo que se llama Natal. Es de nieve y de candelas. Y desde la ventana se ve un reno.

¿Os coméis los renos?

Sí. En carne ahumada.

Van a ser las doce, dice él. En cierta ocasión, por la noche, tocó aquí una orquesta, una gran orquesta sinfónica. La gente se preguntaba qué pasaría cuando llegasen las doce y la campana de la Torre del Reloj comenzase a sonar.

¿Y qué pasó?

Unos segundos antes, el director dio una orden con la batuta y la orquesta calló la sinfonía de Beethoven. Y entonces se escucharon las doce campanadas de la Berenguela. Cuando acabaron, hubo una gran ovación.

Las campanas. Kiss apoya la cabeza en el hombro de Manuel y cierra los ojos.

De noche, en la soledad de su habitación, Inma habla por teléfono.

Está bien, no tenemos que discutir. Somos civilizados. ¿Que por qué no quiero discutir? Que te den por el saco. Sí, puedes llevarte la música que quieras. No, no te trato como a un niño. Déjame a Cesária Évora, Paquita la del Barrio y Chavela Vargas. ¿Para qué? Para llorar por ti. No, no te estoy vacilando. ¿Tenemos que hablar? No. Ya no tenemos nada más que hablar. Estoy harta de hablar. Voy a dormir, dormir, dormir.

Llueve. Bajo una alfombra caminan Omar, Mireia y Bastián.

Bastián cojea.

Ciego y cojo, dice. ¡Milagros del apóstol! ¿No me negaréis que parezco un tipo interesante? ¡Lástima que ya no beba! ¡Ciego, cojo y borracho!

¿Bebías mucho?

¡Así me hice catedrático!

Luego, en voz baja, atrapada por un recuerdo: Bueno, tenía a Sil. Él me guiaba por la universidad de las tabernas.

¿Quién era Sil?, pregunta Mireia.

Un perro negro como un tizón, informa Omar.

¡Sil era Sil!, exclama Bastián con sentida solemnidad. Cazaba mariposas de colores.

¿Cómo lo sabes?

Me las ponía en las manos.

En el silencio que se hizo, Mireia pudo ver al *retriever* dar un limpio salto en el aire y volver con un bocado de colores.

Cuando murió, dijo Bastián, no quise otro perro. Dejé de ir por las tabernas. ¡El Sil! Se fue, pero me dejó su olfato.

¿Para qué vamos a la catedral?, pregunta Omar.

Quiero que Mireia vea cómo sonríe la piedra. Porque la piedra está viva, Omar, la piedra está viva.

La piedra es piedra. Lo que pasa es que tú vendes muy bien historias. Deberías vender alfombras.

Es curiosa esta ciudad, continúa Bastián. Las ciudades nacen de ferias, de fortalezas, de pasos fronterizos, de asentamientos del poder y del comercio. Pero esta ciudad, esta ciudad nació de un cementerio. Floreció sobre la muerte. No me digáis que no es curioso. Se dice que Lutero dijo que todo era una leyenda y que en Santiago podía estar enterrado un perro.

Y Bastián añadió con sorna: ¡De ser, sería una vaca, digo yo!

Están en el Pórtico de la Gloria. Bastián explora con sus ojos ciegos, de grises y blancos nebulosos.

Ahí, señala, ahí está la sonrisa de la piedra. El gran enigma. Es Daniel, el profeta, la única estatua del románico con una sonrisa pícara. Arriba, la orquesta de los ancianos del Apocalipsis. Por allí, a la derecha, hay un hombre que se está comiendo un cocodrilo. Y también el tentáculo de un pulpo. Abajo, la animalia del Infierno. En el centro, claro, el Creador. Y ahí, ahí está la sonrisa. ¿Sabes, Mireia, por qué sonríe? Síguele la mirada. Fíjate enfrente.

Hay una Salomé. Una hermosa mujer de pechos generosos que aún lo serían más, de no haberlos rebajado a cincel la censura. ¡Y ése es el gran enigma!

Es la primera vez en mucho tiempo que Mireia devuelve una sonrisa.

El Pórtico de la Gloria, esto sí que es una obra abierta. Todo el mundo tiene un lugar en ella. Una vez, cuenta Bastián, llegó un peregrino muy del norte, del país de los vikingos. Larga barba y curtido como cuero de buey por el duro camino. Se sentó allí en la base y ya no se movió. Un mendigo de piedra. Hasta que un día apareció un muchacho a caballo y con otro corcel de la brida. Fue junto a él y únicamente le dijo: ¡Ya puedes volver, papá! Y sin más la estatua se puso en pie y echó a andar tras su hijo.

Mirea y Bastián están sentados en un banco del mirador de la Ferradura. El crepúsculo, la caída del sol al oeste, tras el monte Pedroso, pinta la vieja Compostela de pan de oro y óleos carnales.

¿Ves ahora la rosa de piedra, la rosa que nace de la nada?

Pues no, ríe Mireia.

Deberías esperar. Hay que darle tiempo al tiempo, ese mago.

Ella le coge la mano y la entrelaza con sus dedos.

¡Ah, por fin, un braille de cariño!, exclama Bastián.

Ya estamos a punto de acabar, dice Mireia. La última sesión será en los acantilados de Fisterra.

¡La Costa da Morte!, dice Bastián. Allí iban los peregrinos a recoger vieiras.

Inma está obsesionada con eso del Fin de la Tierra. Creo que no le van bien las cosas.

Te quiero pedir algo, dice de repente Bastián, muy serio. Llevadme con vosotras.

Y añade parpadeando: No seré un estorbo. ¡Me gustaría tanto ver el mar!

En el coche, mientras los demás charlan o cantan, Inma trata inútilmente de hablar por teléfono móvil.

¡Para ahí!, le pide Inma a Mireia, que conduce.

Hay una cabina a la orilla de una playa desierta. Quien la puso allí debió de pensar en las botellas arrojadas al mar con un mensaje.

¡Hola! ¿Eres tú? No, no me dieron el recado. No, no me pasa nada, es que estoy en una cabina y se está tragando las monedas. Junto al mar, una cabina en el mar. Te quería decir. Sí que somos dos idiotas. Pero tú eres mucho más idiota que yo. Me queda una moneda. La meto por un beso.

Mireia retrata a Kiss en los acantilados, junto a las cruces de piedra del cabo Roncudo, que recuerdan a los pescadores muertos.

De reojo, entre foto y foto, Mireia observa a Bastián. Parece hechizado por el mar. El viento lo peina. Aparta la nariz.

Mireia se concentra en las fotos. Cuando de nuevo vuelve la mirada hacia Bastián, éste bordea el acantilado y se pierde de vista.

La fotógrafa grita su nombre, y brinca por las rocas seguida de Kiss e Inma. Llegan a una gruta en la que el mar se agita y brama con furia. Pero no encuentran ni rastro del ciego.

Van al pueblo más próximo en busca de ayuda. En el muelle, Mireia cuenta con angustia lo ocurrido. Los pescadores primero la escuchan con atención pero luego se miran entre ellos e intercambian gestos de cómplice incredulidad.

¿Y dice usted que era ciego?

Sí, sí, ciego. Vende vieiras en Santiago.

Un viejo pescador murmura con ironía: ¡Todos los años el mismo cuento!

Y aquí se acaba la película.

La actriz que hacía de Mireia y el actor que hacía de Bastián se sientan ante el mar. Como en una función de despedida, la puesta de sol se esfuerza en no defraudar.

Si yo fuese fotógrafa, dice ella, nunca fotografiaría una puesta de sol.

Y entonces él, imitando el gesto de ojos de cuando era Bastián, le dice: ¿Por qué los que la podéis ver no aceptáis la belleza?

Y la actriz, que vuelve a ser Mireia: ¿Sabes por qué? Porque desconfían de la belleza. Porque conocen la terrible belleza que produce el odio.

El loro de La Guaira

Los domingos sí que comíamos bien. Había un paisano que tenía un restaurante en Caracas y nos contrató de clientes. Nos vestíamos de corbata y nos sentábamos en el lugar más visible del ventanal, como de escaparate, comiendo con entusiasmo. Es una ley de la hostelería. La gente no entra en un local vacío, y menos a comer. Hay negocios que nacen con gafe. Por muy bien montados que estén, la gente no entra y no entra. No me preguntéis el porqué, pero es así. Nosotros trabajábamos de reclamos. Y lo hacíamos muy bien.

Luego íbamos a una plaza que hay allí en Caracas, con una estatua de Simón Bolívar montado en un caballo enormísimo. Un país con una escultura así de grande, con un caballo tan bien hecho, debería marchar bien, pero en fin... Nos sentábamos en aquella plaza y era como estar en casa e ir al cine a un tiempo. Acudían los emigrantes recién llegados y siempre había algún conocido con noticias frescas de la tierra. Y había mucho movimiento. Mucho. Os voy a contar cómo conocí a Cristóbal Colón.

Estaban sentados en un banco, frente a nosotros, dos hombres con pinta de vagabundos. Bebían a morro de una botella. A mí aquella situación me hacía gracia. Mi compadre y yo estábamos allí, de corbata, con la tripa llena pero algo melancólicos porque el domingo por la tarde era cuando más echaba uno en falta lo mejor que había dejado atrás. Y de buena gana me tomaría yo un trago de aquella botella que tanto les hacía reír. Fue entonces cuando uno de aquellos pobres borrachos señaló hacia un lateral de la plaza y exclamó con alegría: «¡Mira, chavo, aquí llega Cristóbal Colón!».[*]

Nos dimos la vuelta, sorprendidos, hacia aquella dirección, y vimos que se acercaba un mulato enormísimo, también vestido de harapos y con una nube de moscas a su alrededor. Los tres vagabundos se abrazaron jubilosos y celebraron el encuentro bebiendo a morro de la botella de ron.

«¡Colón, pendejo!»[**]

Por aquel entonces yo ya ahorraba algo. Intentabas no gastar un patacón y ahorrabas. Pero lo peor fue al llegar. Estuve a punto de morirme. De hecho, me vi en el otro mundo. Había desembarcado en La Guaira, y allí mis-

[*] En castellano en el original.
[**] En castellano en el original.

mo encontré trabajo en la construcción. El primer día que subí a un andamio hacía un calor de mil demonios, pero yo tenía mucho afán, me quería comer el mundo, cosas de la juventud, que no tienes cabeza. Cuando me di cuenta del mareo, ya me había frito en sudor. Abajo, un peón negro al que llamábamos Blanquito, me dijo: «¡Qué barbaridá, gallego, hueles a llanta quemada!».*

Y eso es lo que yo era, una rueda quemada. No se me ocurrió otra cosa que irme para el muelle con un cubo y pedir un bloque de hielo. Y me puse a lamer y a beber el agua que soltaba el bloque. Al día siguiente ya no me pude levantar. Estaba febril, veía todo borroso y amarillo. Dormíamos tres compañeros en la misma habitación de alquiler, con el sitio justo para los camastros. Por la noche me traían algo de comer, pero yo echaba las tripas por la boca. La suerte fue que hubiese una ventana que daba al patio. Y que en aquel patio hubiese un loro.

Aquel loro no paraba de gritar durante el día. Lo único que decía era: «¡Merceditas!». Llamaba constantemente por Merceditas. Y de vez en cuando una voz de muchacha respondía: «¡Ya voy, bonito, ya voy!».**

* En castellano en el original.
** En castellano en el original.

En Galicia, en la aldea de la que yo soy, teníamos una vecinita que se llamaba Mercedes. A mí me gustaba aquella niña, quiero decir que me ponía nervioso y por eso le hacía mil diabluras. Le metía miedo cuando al anochecer pasaba por el camino del cementerio, y cosas así. Escondido entra las lápidas, me burlaba mucho de ella. ¡Mercediiiiiiiiitas!

Así que aquel loro llamaba por Merceditas y eso me mantenía vivo, atento, en un mundo de nieblas y sombras, como si espiase por un agujero del cementerio. Y mucho me tardaba aquella voz de cascabel que decía: «¡Ya voy, bonito, ya voy!».

Pasaron por lo menos ocho días hasta que mi cuerpo encontró su lugar. La habitación dejó de correr como un vagón por un túnel. Y volví a comer. Y a trabajar. Y después me apareció aquel contrato de cliente-comedor los domingos en el restaurante de Evaristo. Un triunfo si lo comparamos con Cristóbal Colón.

Lástima que nunca conocí a Merceditas. A aquélla, la del loro, jamás conseguí verla, pues el día pertenecía al trabajo y la noche al sueño. Y aquella otra, la niña de mi aldea, recién se había marchado a América cuando yo regresé.

Nuestros barcos debieron de cruzarse en medio del mar.

Camino del monte

Yo sé otra historia de un loro.

Lo había traído doña Leonor de Coruña. Se lo había regalado un naviero que la pretendía. Pero la señora Leonor tenía demasiado carácter para vivir con un hombre, aunque fuese un hombre que la agasajaba con loros. Así que se fue a vivir con su tío cura. Que no se me malinterprete. Ese tío cura era tan hombre que incluso tenía un revólver. Una vez lo asaltaron, sacó el revólver de debajo de la sotana y dijo: «¡Como hay Dios que os reviento el alma!». Y le dejaron ir.

El loro de doña Leonor era muy coqueto. Tenía la cabeza encarnada con mejillas blancas y estrías anaranjadas, alrededor de unos ojitos muy negros, y encarnado era también el cuerpo, con alas verdeazules y púrpura en la cola. El loro también era muy piadoso. Ella le había enseñado el rosario en latín. Tenía por incansable letanía el *Ora pro nobis*.

Uno le decía: ¡Hola, lorito real!
Y él respondía: *Ora pro nobis*.

Nosotros le hablábamos en castellano porque era un loro venido de ciudad. Insistías: ¡Lorito señorito, lorito señorito!

Y él, a lo suyo: *Ora pro nobis.*

¿Cómo se llama el lorito, doña Leonor?

Y ella decía riendo, que era otra mujer cuando se reía: «Se llama Pío Nono, Dios me perdone».

El loro estaba instalado en la balconada de la casa rectoral, entre un abundante cortinaje de habas a secar, ristras de cebollas, ajos y pimientos de piquillo, mazorcas de maíz y también racimos de uvas escogidas para el vino tostado. Para nuestra envidia, Pío Nono comía higos pasos, huevos duros y frambuesas, y picoteaba una hoja de lechuga que era como un parasol verde que reponían las criadas en el calor de aquel verano.

Fueron las criadas las que, de forma involuntaria, le cambiaron la plática al loro. En la era, bajo la balconada, llamaban a las gallinas para echarles maíz: ¡Churras, churras, churriñas! Y las gallinas acudían tambaleantes como falsos tullidos ante una nube de monedas.

Un día, por la mañana temprano, el loro comenzó a gritar: ¡Churras, churras, churriñas!

Las gallinas se arremolinaron bajo la balconada, esperando inútilmente la lluvia de oro vegetal.

Y desde entonces el loro olvidó el latín y repetía constantemente aquella gracia. Cuando tenía el corral reunido, al acecho del grano, lanzaba una carcajada que resultaba algo siniestra por venir de un ave.

¡Churras, churras, churraaaaas! ¡Ja, ja, ja!

Por allí, ante la casa rectoral, pasaban los recolectores de piñas de Altamira, que eran, como se suele decir, una raza aparte. Pasaban ligeros, tirando de los burros y con el punto de mira puesto en la cima de los montes. Pero un día se fijaron en el loro. Asistieron al espectáculo de llamar a las gallinas, escucharon las risotadas del ave y les hizo tanta gracia que perdieron media mañana en aquel circo. Doña Leonor salió al portal y los reprendió. Les dijo que si las piñas caían del cielo y otras reconvenciones que ellos escucharon como un silencioso campamento. Luego se marcharon como se marchan los indios en las películas del oeste, resentidos y sigilosos. A la mañana siguiente, los recolectores de piñas acamparon de nuevo ante la balconada. El loro Pío Nono comenzó el día con el número de las churras, churras, churriñas. Los recogedores de piñas se rieron mucho y después aplaudieron. De repente, de entre aquella gente de rostro de madera del país barnizada por la resina, salió un grito que resonó como el estallido de un trueno.

¡Viva Anarquía!

Y Pío Nono contempló en panorámica al público, alzó el pico con solemnidad y repitió: ¡Viva Anarquía!

Y hubo gorras al aire y muchos bravos y aplausos.

En camisón, con su pálida faz de luna menguante, doña Leonor salió a la balconada. Y nunca jamás se volvió a saber de aquel loro de larga cola púrpura.

Jinetes en la tormenta

Era mi primera marea en el Gran Sol. Yo quería comprar una guitarra. No una guitarra cualquiera, sino una de verdad, una auténtica Fender, una Strato. En mis sueños, ya le tenía nombre, cuando galopaba sobre el efecto niebla de un escenario, perseguido por un reflector de presidio. Le llamaría Sirena.

Dicen que el de Irlanda, a partir de los 48° Latitud Norte, es el mar más duro, pero yo no tenía miedo. Y eso que sé que el mar va a por mí. Nací avisado. El día que vine a este mundo, el temporal estuvo a punto de reventar la puerta de casa. No es una exageración. Entró de golpe por la bocana y deshizo la flota de cerco de Malpica. Y deshizo también la verbena de los casados, el baile del veinte de enero. Tocaban Los Satélites. Aún tuvo arrestos para subir por el callejón, bufó como un animal por el faldón de la puerta y luego filtró una bilis de tinta como el aviso de un telegrama.

Recibido.

Los de tierra tienen una ideas muy peregrinas sobre el mar. Le hacen poemas, y cosas así. Pero yo, con el mar, ni palabra. Él ahí y yo aquí. Cuando trabajas hay que vigilarlo de reojo, haciendo que lo ignoras, con todos los sentidos al acecho. Porque al mar no se le vence nunca. Sólo puedes entretenerlo o huir. En cuanto compre mi Sirena, le daré la espalda para siempre. Adiós, tiburón.

En esos versos de señoritos tratan al mar de amante y cosas así. Tonterías. Y afirman esos entendidos del carajo que los pescadores lo tenemos por hembra, y que siempre decimos «la mar». ¡Y una mierda! El mar es un cacho cabrón. El mar es una cárcel. Peor que una cárcel. Ni siquiera hay *vis-à-vis*.

Cada uno tiene en la memoria sus frases históricas. Sus diálogos de película. Éste es el mío.

¡Se estaba mejor en la cárcel!, dice mi padre. Empapado, tiembla de frío y rabia. Acababan de perder los aparejos y salvar el pellejo de milagro.

¡Y a mí quién me diese unos días de hospital!, dice mi madre.

El futuro me sonreía.

Estoy en el *Blue Angel*. La herrumbre del salitre tizna con sólo mirar para el barco. Vamos camino del Gran Sol. Mi primera partida en alta mar. Conozco el código. Debo obedecerles a todos. Quizá a unos más que a otros.

Un hombre bajito pero con cara de mapa grande y brazos largos como remos, todo peludo excepto la calva, susurra a gritos en el muelle: ¡Eh, chaval, cógeme el jarabe! Y desliza una caja de botellas de agua mineral.

Parece que intenta una maniobra discreta, pero toda la tripulación está alerta y lo recibe con mucha chanza.

¿Qué? ¿Otra vez vas a dejar el alcohol, calamidad?, le dice con burla el contramaestre.

¡Vete a tomar por el culo!, responde el recién llegado. Viene con ropa limpia. Huele a una loción salvaje.

¡El señor Hache-Dos-O!, exclama con malicia el contramaestre. Y todos ríen, más o menos.

El chato cachola pelada se llama Andión. Va a ser muy amable conmigo, posiblemente porque todavía no tengo licencia para reír. Al contramaestre todo el mundo le llama Bou. Es arisco, pero también me trata bien. De joven conoció a mi padre. La gente del mar suele ser medida por el crédito que merece su familia. Yo tengo esa ventaja. Un lote de difuntos. Y en las tripas la memoria de no marearse.

Bou me da un pasador de hierro, una aguja de un kilo, para que empalme cable de acero. Supero la prueba con sangre en las manos, pero sin mirarlas, con desdén, como si fuese un sudor bermejo.

Es la primera noche. En el camarote que me toca somos cuatro. Además de los catres hay un armario y el espacio justo para no pisarse.

Aprovecha ahora, chaval, que todavía no tienes que amarrarte para dormir, me dice el compañero más hablador. El otro lee una novela del oeste, *Pueblo de cobardes*. Andión bebe una botella de agua. En la puerta del armario ha colocado la foto de una mujer. Lo que me llama la atención es que la foto está enmarcada. Pongo los cascos. Cierro los ojos. Estoy en un ancho escenario brincando con Sirena en mis brazos.

Bou se asoma a la puerta. Trae una botella de whisky. Bebe a morro y nos ofrece un trago. La botella va pasando de mano en mano. Andión, sentado en el camastro, la rechaza. Bou se ríe y la hace oscilar lentamente, como el péndulo de un reloj, a la altura de los ojos de Andión, que alza la mirada hacia el donante sin decir nada y luego bebe de su agua.

Tira más el pelo de un coño que una estacha, ¿eh, Andión? ¡Hasta le has puesto un marco!

Con la comida y la cena bebemos vino Don Simón en envase de tetrabrik. Todos bromean con Andión, que bebe agua y grandes tazas de café. A medida que pasan los días, lo van dejando en paz, excepto Bou, que cada vez le pone delante un vaso de cinc lleno de vino a desbordar. La fuerza del mar va a más y cuando el vino se derrama, Andión pasa una bayeta y lo seca. Después va a lavarse las manos con jabón. Al principio no fumaba, pero ahora le veo quemar un cigarro tras otro. Ésa es también la manera que tiene de abrir a cuchillo el pescado para destriparlo. Con una urgencia mecánica. Observo que apenas duerme. Se queda sentado en su camastro y fuma. Cada vez bebe menos agua y más café. Bou se asoma todas las noches y le ofrece la botella de whisky. Pero él ya no lo mira. Tiene los ojos clavados en la mujer del marco.

¡Ya caerás, Andión, ya caerás!

Era una foto curiosa, la de la mujer en el marco. Sin serlo, tenía un aire antiguo. Un retrato de busto, con dedicatoria y todo en la esquina derecha: «*Te espero siempre, mi amor*».* La estola de piel alrededor del cuello y los labios tan cromados no suavizaban aquel rostro picudo, que a mí me recordaba el de un soldado cosaco que había visto en una revista. Lo del cosaco nunca se me olvida por-

---

* En castellano en el original.

que mi padre siempre se equivoca con una frase chusca: «En aquel tiempo bebíamos como *socasos*».

Cuanto más la mirabas, y yo lo hacía con disimulo cuando Andión estaba presente, aquella mujer marimacho se iba haciendo más fuerte y atractiva a un tiempo. Si me coincidía estar solo, me fijaba en ella hasta que se salía del marco, me agarraba por los pulsos contra la pared y me besaba bocadentro con su lengua de congrio.

Los primeros días la pesca nos había ido muy mal. El mar estaba remolón como un espejo vuelto del revés y se movía en ondas plomizas, pero trabajaba su odio en el fondo. Perdimos un aparejo, y el patrón le plantó cara con un surtido de blasfemias. Y el mar le respondió con un golpe que hizo crujir los huesos del *Blue Angel*.

Aquí va otra de mis frases históricas: «El silencio que viene antes del golpe sólo se parece al silencio que viene después».

A partir de los 46° Norte nos seguía un alcatraz. Cuando el mar se embraveció, recogimos el copo lleno, como si escupiese pescado. Entre la pesca, los primeros fletanes, ángeles del mar con sus alas negras. El pez de la suerte. Fue entonces cuando el alcatraz voló hacia Irlanda y regresó heraldo de una gran tribu. Iba a ser una maldita buena marea, la bodega a rebosar en medio de un infierno.

Tras un lance que abarrotó la cubierta, y de destripar y limpiar el pescado sosteniéndonos como peleles entre cascadas de agua, nos dejamos caer desfondados en los bancos del comedor. Yo sentía el mar dentro, con su sangre fría recorriendo mis venas. Bebimos interminables tragos. Andión estaba pálido, encogido, y se frotaba las manos moteadas de escamas. Bou le puso delante el vaso de cinc y lo llenó de clarete barato. Andión dudó durante largos segundos. Luego se lo bebió de una sentada. Él mismo se sirvió de nuevo. Y así hasta vaciar el bote.

Nadie dijo nada. Ni una broma. Las risas incipientes fueron silenciadas por un severo juez colectivo. Ni siquiera Bou celebró en voz alta su triunfo. Hizo gesto de brindar, se bebió un trago, chasqueó la lengua y se fue.

Aquella noche, Andión se sentó en su camastro ante la foto. Tenía una botella de whisky entre las piernas y la fue vaciando a lentos sorbos, ajeno al creciente balanceo del *Blue Angel*. El mar burbujeaba por el ojo de buey. Una tos violenta e interminable. Creo que entonces comprendí el hechizo de la mujer del marco. Era como un noray con una estacha al cuello.

La botella de Andión rodó por el suelo. Él se puso en pie, descolgó la foto y la guardó entre la ropa de repuesto. Después cogió una de las cuerdas que había debajo del armario. También llevaba el cuchillo del pescado al cinto.

Deberías amarrarte, chico. Esta noche viene temporal.

Pero él salió del camarote con la cuerda y el rictus fiero de los que cruzan una línea de alambre. Y la botella rodando. Y Bou gimiendo como un cerdo agonizante. Y yo me puse los cascos. No hubo ni hay nada como Jim Morrison y sus jinetes en la tormenta. Jinetes en la tormenta. Jinetes en la tormenta.

Toca, Sirena mía, toca.

La maldición de la Malmaison

Conocí a John Abreu cuando estaba preparando un ensayo sobre la emigración, el retorno y el doble sentido de la saudade. Manejaba un título provisional: *El deslugar*. Él podía ofrecerme un valioso testimonio. Sus antepasados pertenecían al modesto campesinado que malvivía para pagar las rentas de los señores de la tierra. Su abuelo había emigrado a Cuba y, desde allí, a Estados Unidos. Trabajó de albañil en los rascacielos. John conservaba una fotografía en la que se veía a su abuelo en compañía de otros, sentados sonrientes allá en lo alto, en una viga de hierro, como estorninos sobre una rama.

Fue ese abuelo, cuando se jubiló, el que empezó con la manía de las rosas. Había comprado un pequeño terreno en Nueva Jersey. Ése era su sueño. Tener un pedazo de tierra, una huerta, donde esperar su final con una azada en la mano. Plantó legumbres y también construyó un corralillo en el que criaba gallinas y engordaba un pavo para el día de Acción de Gracias. Pero una señora irlandesa, con la que se había amigado tras enviudar, le regaló un día un injerto de rosa Cherokee. Y al verla florecer, el viejo Abreu se quedó asombrado, como si de repente descubriese la noción de belleza. Decidió prescindir de las legumbres y del corral y convirtió la finca en una rosaleda. Recorría viveros e invernaderos, asistía a exposiciones y concursos, compraba e intercambiaba rosales, y luchaba contra el oídio y la roya como si fuesen pestes que asolasen a su propia familia. Por las noches, pedía que le tradujesen y leyesen en voz alta un libro titulado *Los misterios de la rosa.*

Yo era su lector preferido, recordó sonriente John Abreu. Me daba un centavo por noche. En un capítulo se contaba cómo Cleopatra había recibido a Marco Antonio en un gran lecho de pétalos de rosa. Mucho le gustaba aquella historia. Y también la de otro amor con rosas por el medio, el de la emperatriz Josefina y Napoleón. ¿Usted ha oído hablar de la rosaleda de la Malmaison?

Le dije que sí, por supuesto. En realidad, yo no tenía ni idea de rosas, y menos de su historia. Pero la víspera, mientras le daba vueltas al caso John Abreu, le había echado un vistazo a una enciclopedia.

Uno de los mejores jardineros ingleses, un tal Kenedy, tenía un salvoconducto para atravesar las líneas francesas, y la misión de podar las rosas de la emperatriz.

Así es, asintió John Abreu, sorprendido y satisfecho con mi información. Josefina sobrellevó el repudio y la soledad entre las doscientas cincuenta especies de rosas de los jardines de la Malmaison.

A mí me tiene hechizado la leyenda de Creta, dije con el tono de un iniciado. Una isla de la antigüedad cubierta de rosas y que los navegantes descubrían por el aroma antes que por los ojos.

Yo esperaba una entusiasta aprobación. Era mi último recurso entre el anecdotario que había memorizado. Pero, con un rictus enigmático, John Abreu desvió la mirada hacia el fondo del jardín. En el atardecer de agosto, una perezosa bruma marina atravesaba el seto de tullas y envolvía en gasas los toldos transparentes de los invernaderos. La Malmaison adquirió el inquietante aspecto de un poblado futurista a la deriva.

Esta niebla me pone enfermo, dijo por fin John Abreu. Hiere de tristeza a los rosales. Hizo un gesto señalando la puerta de la vivienda. ¿Qué le parece si tomamos algo?

El salón estaba adornado por todas partes de floreros con rosas. Y también había una mujer. Era más joven que John Abreu, de unos cuarenta años, tez mestiza y con esa melancolía de las mujeres altas, delgadas y de brazos demasiado largos.

Mi mujer, Josefina.

No soy muy dado a impresionarme, desconfío de la belleza evidente, pero tampoco soy de piedra. Era atractiva y silenciosa como una modelo que hubiese dejado atrás la pasarela.

Ella es mi rosa azul.

Me pareció una metáfora apropiada, aunque cursi, pero en aquel momento no entendí todo su sentido. El algo para beber que me había prometido Abreu resultó ser, cómo no, una infusión de pétalos de rosa.

Tiene cuatro veces más vitamina C que la naranja, dijo Abreu, creo que con un poco de ironía.

Sorbí un trago de líquido ámbar. Sabía a orina vegetal. Volví la mirada hacia la dueña, aparentando una simple curiosidad, digamos científica.

La rosa azul, con perdón, no existe, ¿verdad?

Abreu esbozó una sonrisa.

Aún no me ha preguntado por qué he regresado. No creo que le sirva para una tesis sociológica. En realidad, regresé huyendo. Huyendo de una maldición.

Bebió un trago con calma, paladeando, como si fuese un bourbon que le ayudase a recordar.

Ese abuelo del que le he hablado, dijo por fin, se volvió loco con las rosas. Para ser exacto, enloqueció con la rosa azul. La tranquila afición de su vejez se convirtió en una competición contra el tiempo. Como un embrujado, día y noche experimentaba con híbridos imposibles. Se murió delirando. Convencido de que la había obtenido. Le dijo a mi padre: «Llama a la asociación de obtentores, que la registren, que ya la tengo. ¡La rosa azul Abreu!». Mi padre no llamó, claro. Heredó los rosales. Durante un tiempo, se despreocupó de ellas. Hasta que un amigo lo convenció de que las rosas podían ser mejor negocio que la venta de aspiradoras a domicilio. Nueva York estaba cerca y era el mayor mercado del mundo. Y, en efecto, fue un buen negocio. Aún no se ha inventado en este mundo nada mejor para regalar y quedar bien que una simple rosa. Mi padre compró más tierra y amplió las plantaciones. Se limitaba a las variedades más convencionales. Pero un día, como jugando, consiguió un híbrido, una hermosa variedad carmín a la que llamó *Gloria Swanson*. Ingresó en un club internacional de obtentores e hizo mucho dinero con los derechos de esa flor.

Obtuvo varios híbridos más que le dieron una cierta celebridad en el mundo de la rosa. Por cierto, a uno de color cereza lo llamó *Rosalía de Castro*. Al principio, gozaba con esos éxitos, vivíamos una vida cada vez más confortable. Incluso pensó en invertir parte de aquel floreciente negocio en la producción cinematográfica, algo que le apasionaba. Pero un día llegó a casa, borracho, con el cuento de la rosa azul. Lo había embrujado.

John Abreu saboreó otro trago de aquella pócima.

Le voy a ahorrar detalles. Arruinado, abandonado incluso en su cuidado físico, una noche se pegó un tiro en la gran rosaleda de Nueva Jersey.

¡Esto está muy oscuro!, dijo de repente mi anfitrión. Había una sola lámpara encendida y la noche se proyectaba en grandes sombras de flor sobre las paredes. No me pareció apropiado hacer preguntas. Él cogió de la mano a Josefina.

Ya ve, dijo Abreu, he vuelto para cultivar rosas. Es todo lo que sé hacer. Pero creo que he vencido a la fatalidad. He encontrado mi rosa azul.

A pesar de los focos, en el exterior, al despedirme, Abreu y Josefina me parecieron dos lánguidas criaturas subacuáticas.

No era Creta, gritó cuando me subí al coche. La isla que perfumaba de rosas el mar era la de Rhodas.

Salí de la Malmaison en dirección A Coruña por la carretera de la costa. Era una noche de niebla espesa que mataba a dos palmos la luz de los faros. Por eso, cuando aquellos dos faros se me echaron encima y escuché un último estallar de cristales, pensé que era mi propio coche que había chocado con un espejo. Recuerdo que pasé aquella noche soñando que iba flotando, bocarriba en medio del mar, y que olía a colonia. De repente, mi cabeza tropezaba con algo blando, como medusa. Palpé con las manos. Era mi cuerpo muerto.

Me desperté angustiado por la anestesia y sólo supe que estaba vivo cuando ella, mi Josefina, pequeña, delgada e inquieta como maestra de párvulos, se acercó para darme un beso de rojo geranio.

Mi pobre loco, ¿por qué te dejaría marchar de noche con semejante niebla?

El nido de amor

El hombre iba delante, abriendo las ventanas con aire descuidado. Y también ellas, las ventanas, correspondían con una pereza de madera vieja y artrósica, a la que le afectan mucho los cambios de estación. Cuando alguna de las contras se resistía, el hombre reaccionaba con gruñidos de malhumor de tal forma que su refunfuñar tenía una naturaleza semejante al chirriar de las bisagras.

Pero la luz, que de repente iluminaba la casa con la avidez de quien lleva años a la espera, obró el milagro de que la mujer propietaria, hasta entonces una sombra silenciosa, se volviese locuaz, como un sonámbulo que despierta. Y ahora recorría la estancia sacudiendo el polvo y los fantasmas con la urgencia excitada de quien reconstruye los fotogramas de una valiosa película deteriorada y olvidada.

En medio de esa alianza de luz y pasado, nosotros éramos seres extraños, ocupantes involuntarios de una nostalgia ajena. Luisa y yo ya habíamos compartido esa sensación con anterioridad, en nuestra obstinada y esperanzada ruta inmobiliaria *Pareja joven busca nido de amor.*

Algunos propietarios enseñaban su casa con la distante seguridad de quien ya había encontrado mejor cobijo, liberándose así de un territorio que ahora les resultaba inhóspito. Pero otras mostraban en sus rostros y en la manera de guiarnos una inquietud culpable, arrastrando en sus pies, por el pasillo, una pesada cadena de resistencias y censura. Entonces nos sentíamos profanadores, cómplices de un acto de traición.

La mujer repentinamente habladora llenaba la vieja casa de gente ausente, de laboriosos difuntos. Una abuela que bordaba en la galería, acompañada por la sinfonía de un canario enjaulado. La criada coja que barría la cocina y bailaba solitarios tangos con la escoba. Las niñas que se probaban los trajes de fiesta de su madre, adornados de brillantes abalorios, y coqueteaban con el espejo.

La mujer propietaria iba abriendo con emocionado temblor las puertas de aquellos desvencijados armarios como si fuesen páginas de una vieja enciclopedia escolar. Estaban vacíos. Solamente había, en uno de ellos, un lecho de papeles roídos. El nido abandonado de una rata. La mujer cerró con espanto la puerta y regresó a su silencio. El hombre aprovechó aquella pesarosa retirada de la dueña para informarnos con rutinaria frialdad de las características de la vivienda.

¡Ah, me olvidaba!, dijo con hastío. Arriba vive una inquilina. Muy vieja. Y además está muy enferma.

Y sentenció, con el gesto de quien decreta una máxima pena: No causará problemas.

Después de esto, nos pareció oír un adiós agónico y que un sonido de réquiem traspasaba el techo y una anciana ánima, junto con el viento, golpeaba con sus alas en el tejado.

Disciplinados, conteniendo nuestro asombro, tomamos nota de la superficie y dibujamos un sencillo plano. Luego intentamos apresurar la despedida.

Esperen. Nosotros también nos vamos, ordenó el hombre con la sequedad de quien lleva un uniforme bajo la piel.

Fuera, en la calle, la mujer miró con añoranza la fachada: ¡Siempre era la primera en recibir la luz del alba! Es la casa ideal para dos enamorados.

Creo que el hombre comprendió que no volveríamos. Miró para su frágil mujer con una extrañísima mezcla de odio y amparo. Y luego, como si viniese de firmar un bando de guerra, se dirigió a nosotros: ¡Tonterías! El amor no existe.

Seguiremos buscando.

O'Mero

Visito a Luzdivina. Hay que aumentarle la dosis.

Fuera, en la calle, junto a un parterre con camelio, hablo con su marido. Me dice que qué tal. Yo le digo que hay que estar preparado. Y él asiente: Claro, si no come es que...

Es gordo como un tonel. De hecho, anda dificultosamente. Se balancea al desplazarse.

Se llama O'Mero*. Apodo marinero. Me cuenta que engordó de repente, de un día para otro, tras dejar el mar. Como si lo hinchase el aire. Que antes era delgado y fibroso. De cuero curtido.

Yo tengo la culpa, afirma de repente.

¿La culpa de qué?

De su enfermedad.

Le dejo hablar. Cuenta que pasó toda su vida en el mar, siempre con ella en el pensamiento. Todos los días le dedicaba un tiempo a la foto de Luzdivina, como si le hiciese el

---

* En gallego, juego de palabras entre *O'Mero* («El Mero»), apodo del personaje, y el antropónimo homófono «Homero».

amor. Y cuando volvía era la felicidad. Suele haber problemas, pero éste no era su caso. Estaban de verdad hechos el uno para el otro. Aquella mujer era un regalo de la vida que él no se merecía.

Todo iba bien, como la seda, hasta que se embarcó al atún en Madagascar. En Diego Juárez conoció a Beatrice.

Las mujeres allí, sentenció O'Mero, son las más lindas del mundo. Mestizaje entre India y África. Cuando llegas de la temporada de pesca, hay un lote de mujeres esperando por el barco. Es mucha la pobreza. Se van contigo por la comida y poco más. Y eliges. Eso sí, no se te ocurra despreciar a la elegida. Yo no quería, pero también elegí. Tiró de mí con la fuerza de su mirada. Tenía un arco iris en los ojos. Era muy joven, una chavalita que llevaba una criatura de la mano. Mientras ella hacía vida conmigo en el barco, el niño esperaba en el muelle, sentadito, obediente y callado. De vez en cuando, ella bajaba y le daba comida de la que hacíamos. Le pregunté si el pequeño era su hermano. Y ella me respondió sombría: El crío es mío. No quise saber más.

Cuando estaba en el mar, busqué la foto de Luzdivina, pero lo que yo veía era el rostro de Beatrice. Se me había metido en el seso, con su piel de aceituna y sus ojos de arco iris, y no había manera de apartarla. Volvimos a las dos semanas y allí estaba, esperándome, con la criatura de la mano.

Nosotros no teníamos hijos. Se nos había muerto uno recién nacido, de ángel. Y no quisimos volver a pasar por aquella tristeza.

El caso es que volví a estar con Beatrice. Con ella a mi lado, perdía toda voluntad. ¡Qué cosa más linda! Era linda como un pecado. Y yo pensaba: la vida hay que vivirla. Pero luego en el mar me entró una tremenda desazón. Aquello que estaba haciendo era un crimen. O dos. No podía comer ni dormir. Y no me atrevía a mirar la foto. Cuando me decidí, no la encontré. Desde entonces cada vez que llegábamos a Diego Juárez, que ellos llaman Antsiranana, no salía del barco. Miraba por el ojo de buey del camarote y allí estaba Beatrice en el muelle con la criatura de la mano. Me iba a volver loco, así que hablé con el patrón, desembarqué, cogí el avión en Antananarivo hacia París y luego regresé a casa.

Pensé que todo iba a ser como antes. Cambiaría de destino, a Namibia o a donde fuese. Pero un día Luzdivina se me presentó con un espanto en los ojos. Traía su propia foto, rota en pedacitos y envuelta en un billete de francos malagays. Por lo visto, me había estado arreglando un pantalón y al descoser la bastilla se encontró con aquellos restos. Yo tenía el pecado escrito en la cara. ¿Qué iba a decir?

A los pocos días, se le descubrió la enfermedad, concluyó O'Mero. Mientras contaba su historia, había ido arrancando hojas del camelio.

La enfermedad no tiene nada que ver, le dije yo con firmeza para consolarlo. Nada. No es nada psíquico. No tiene relación en absoluto. Puede estar seguro.

¿Y yo qué hago si me pide un granizado de limón?, preguntó él de repente.

Dárselo. Déle todo lo que le pida.

Gracias, doctor.

He escuchado historias bastante más duras, pero, por alguna razón, el caso de O'Mero y Luzdivina me dejó muy afectado. Me encontraba destemplado y entré en un bar próximo para tomar algo caliente. Desde la ventana podía ver y oír el vals del mar. Me fijé en los pesqueros de vivos colores y pensé que no hay arquitectura humana más hermosa que la de los barcos. No sé por qué, pero se me ocurrió preguntarle al tabernero si había mucha gente de aquel lugar en Madagascar.

Que yo sepa, nadie. Se han ido a muchos sitios, pero no a Madagascar.

Pero O'Mero estuvo allí, dije yo, aparentando familiaridad.

¿O'Mero? ¿Conoce usted a O'Mero? O'Mero se marea sólo con ver el mar. ¡No ha pisado ni un bote!

Lanzó una carcajada y luego dijo enigmático: Aquí es así, amigo. En tierra sólo quedamos los que no servimos para otra cosa.

Índice

Índice

Este libro
se terminó de imprimir
en los Talleres Gráficos
de Unigraf, S. L.
Móstoles, Madrid (España)
en el mes de marzo de 2000

2: 3-10-04